Rich Dad's
THE BUSINESS SCHOOL

富爸爸商学院

直销致富的 11 大理由

（美）罗伯特·T·清崎

莎伦·L·莱希特　著

李钊平　王　东　译

电子工业出版社

Publishing House of Electronics Industry

北京·BEIJING

Rich Dad's the Business School
by Robert T. Kiyosaki and Sharon L. Lechter
Authorized translation by GoldPress, Inc. from English language edition published by
Warner Books in association with CASHFLOW Technologies, Inc.
Copyright © 2001, 2003 by Robert T. Kiyosaki and Sharon L. Lecher.

CASHFLOW is the trademark of CASHFLOW Technologies, Inc.

E B E B   ⁂ ◇ ▲ are trademarks of
S I S I   CASHFLOW Technologies, Inc.

Chinese translation © 2004 by Publishing House of Electronics Industry and Beijing Reader's Cultural & Arts Co., Ltd.
All rights reserved.

本书中文简体字版专有翻译出版权由 GoldPress Inc. 公司授权电子工业出版社和北京读书人文化艺术有限公司。该专有出版权受法律保护。

版权贸易合同登记号　图字：01 - 2003 - 7070

图书在版编目(CIP)数据

富爸爸商学院／(美)清崎(Kiyosaki, R. T.)，(美)莱希特(Lechter, S. L.)著；李钊平，王东 译. - 北京：电子工业出版社，2004. 7
书名原文：Rich Dad's the Business School
ISBN 7 - 121 - 00014 - 8

I. 富… II. ①清…②莱…③李…④王… III. 企业管理：销售管理　IV. F274

中国版本图书馆 CIP 数据核字(2004)第 058102 号

策　　划：胡祥玫
责任编辑：王慧丽　　特约编辑：胡祥玫
印　　刷：北京颐园印刷有限责任公司
出版发行：电子工业出版社　http://www.phei.com.cn
　　　　　北京市海淀区万寿路 173 信箱　邮编：100036
经　　销：各地新华书店
开　　本：900×1280　1/32　印张：6.25　字数：126 千字
印　　次：2005 年 1 月第 11 次印刷
定　　价：18.00 元

凡购买电子工业出版社的图书，如有缺损问题，请向购买书店调换。若书店售缺，请与本社发行部联系。联系电话：(010)68279077。质量投诉请发邮件至 zlts@ phei. com. cn，盗版侵权举报请发邮件至 bdqq@ phei. com. cn。

献　词

　　近年来，数以百万计的个人、夫妇和家庭开始着手通过投身直销领域来建立自己的企业，本书就是写给他们的。由于我们已经致力于教育人们获得财务自由的事业，找到一个专门帮助人们创办个人企业的行业自然欣喜不已！致力于直销的人们每天都在和家人、朋友、邻居、合作伙伴甚至完全陌生的人共同学习，并一起分享自己的商业机会，因而，我们对他们充满了敬意和感谢！他们将会亲眼目睹、亲身体会到拥有个人企业所带来的各种好处与自由。正如我们在深受读者欢迎的畅销书《富爸爸，穷爸爸》与《富爸爸财务自由之路》中一再强调的，一旦大家掌握了金钱运作的规律，掌握了创造财富的关键，就很容易发现，拥有一家直销企业对于很多人来说实在是一个绝佳选择。

致　谢

　　本书自 2001 年首次出版以来，所得到的无数赞誉令我们深感不安！但是，这些赞誉同 20 世纪 90 年代中期以来直销给我们生活带来的巨大影响相比，依然有些微不足道。作为"富爸爸"理财思想的早期实践者和推广者，我们对积极从事直销的各位充满感激！同时，我们也希望我们能够帮助人们把握自己的财务生活。我们会不断学习，并向大家传授财务知识和技巧。再次感谢大家！

目　录

导　言

我向大家郑重推荐
直销的原因

近年来，我经常收到下面这类来信。

　　亲爱的清崎先生：

　　您好！衷心祝愿您一切顺利！

　　我的名字叫苏珊，我想向您说说我丈夫艾伦的情况。他通读了您的所有著作，并且完全有能力成为一名成功的企业家和商人。我告诉他我想写信向您请教。不过，到目前为止，我本人还没有拜读过您的著作，根本不了解您的观点。但是，现在我感到很困惑，我丈夫在一家公司投入了大量时间。那是一个金字塔式结构的公司，销售维生素和其他保健产品。位于金字塔高层的人们让你为他们销售产品，而处于金字塔底层的人们就不断地销售产品。如果没有看到这些活动浪费了他那么多时间，我也不会在意。他所有的努力都是为处于公司高层的人及其公司打造名声，创造财富。那些人让我丈夫相信，他正在开始创办自己的企业，但是，实际上我并没有在公司里看到他的名字。如果他的名字没有出现在自己正在推销的维生素上面，怎么能说那家公司就是他自己的呢？一年多来，他一直将自己的业余时间投入到其中，却没有赚到多少钱。

我猜想，实际上那完全是在浪费他宝贵的时间，我更愿意看到他向自己的企业投资，以自己的名义投资。我认为，他不应该去开展他的直销业务，而应该设法开办自己的公司。我还认为，他正在帮别人推销产品，而人家只是在利用他。我知道他读过您的很多书，对于您的说法和论述评价甚高，我想他也许乐意听取您的意见，我的话他一点儿不听。天知道呢，也许我真的错了。当然，这也有好处，能够让我明白其中的奥秘。

假如您回信给我，那我首先要感谢您花费自己宝贵的时间不吝赐教！

您忠诚的苏珊

也许大家已经知道，长期以来，我的办公室总是被来自四面八方的读者来信淹没。可惜的是，我实在没有时间一一回复这些信函。

我用这封信作为本书的开始，因为这位女士的困惑与疑问正是我经常从其他人那里听到的，很有代表性。此外，这位女士的坦诚、开放的胸怀给我留下了深刻印象。在当今这个急速变化的世界，保持一个开放的胸怀，愿意接受新生事物，显得更为重要。

　　我撰写本书的主要原因之一，就是经常听到诸如此类的困惑与疑问。很多人想知道我为什么要推荐直销企业，尤其是我本人与任何一家直销公司都毫无瓜葛，也没有从任何一家直销公司中赚取一分钱。因此，我想通过本书明确地回答人们的困惑与疑问。随便翻翻本书，大家一定也会明白，对于上面那位女士来信中提及的问题，我并没有简单地说对与错。

　　当然，我并不认为直销企业适合每一个人。通过阅读本书，我想大家一定会明白直销企业是否适合自己。如果你已经拥有了一家直销企业，我想本书一定有助于你坚信自己当初的努力和判断；如果你正在考虑开始创办一家直销企业，我相信你一定会从本书中发现直销企业的一些潜在机会和价值，而以往很多人却并没有注意到这些。也就是说，直销企业给我们带来的东西，可能并不只是赚到了更多钱。

　　我首先要感谢大家阅读本书，感谢大家保持一个开放的胸怀！

第1章
富人的致富之道

　　一天放学后，我前往富爸爸的办公室工作。当时我大约 15 岁，对学校生活非常失望。我很想学习怎样才能成为一位富人，但是学校开设的却不是"金钱 101"、"如何成为百万富翁 202"之类的课程。相反，我们经常在自然科学的课堂上解剖青蛙，我很怀疑这些死青蛙怎么能让自己富有起来。由于对学校生活深感失望，我向富爸爸请教："为什么他们在学校中不教给我们有关金钱的知识呢？"

　　富爸爸轻轻地笑了笑，从面前的文件堆里抬起头，回答说："我不知道，我自己也一直对这个问题感到困惑。"他稍稍停顿了一下，接着反问道："你为什么向我问这个问题呢？"

　　"嗯，"我慢腾腾地回答说，"我对现在的学校生活感到非常厌倦。我看不到学校要求我们学习的东西与现实生活之间有什么联系。我只想学习一些致富的学问，问题是，一只死青蛙怎能帮助我购买一辆新车呢？如果老师告诉我死青蛙能够让我致富，那么，我就乐意去解剖数以千计的青蛙。"

　　富爸爸哈哈大笑起来，他问："你向老师请教死青蛙与金钱之间的关系时，他们怎样回答呢？"

"我们所有老师的回答如出一辙。"我答道，"无论我将学校与现实世界之间的联系这个问题向他们问了多少遍，他们总是不断重复着过去的老话。"

"他们到底是怎样说的呢？"富爸爸追问道。

"他们说，'你需要争取获得好成绩，以便将来找到一份安稳的工作。'"我回答。

"噢，那也是绝大多数人的想法。"富爸爸说，"很多人上学就是为了将来找到一份安稳工作，寻求一份财务安全。"

"但是，我不想那么做，我不想做一个为他人工作的雇员。我不想一辈子让别人告诉我，自己可以赚多少钱，什么时间工作，什么时间休假。我想过一种自由自在的生活，我想成为一个富人，我将来不想只是去找一份工作。"我的声音不由自主地提高了。

对于没有读过《富爸爸，穷爸爸》的读者朋友，我有必要在这里稍稍解释一下：富爸爸是我最要好的朋友迈克的爸爸，他白手起家，也从来没有接受过任何正式教育，后来却成为美国夏威夷州最富有的人之一。穷爸爸是我的亲爸爸，他接受过高等教育，是一位薪水很高的政府官员，但是，无论他赚到了多少钱，每到月末的时候却总是身无分文，他辛劳一生，去世时依然囊中空空。

每逢课余或者周末，我开始跟随富爸爸学习，我这样做的原因之一就是，我觉得在学校没有得到自己渴望的教育。我明白学校不可能提供自己想要得到的教育，因为我的亲爸爸，也就是穷爸爸本人就是夏威夷州的教育局长。穷爸爸本人对于金钱知之甚少，所以我想现行的教育体制不会使我学到自己向往的知识。15

岁那年，我就想知道怎样才能成为一名富人，而不是成为一名为富人工作的雇员。

多年来我的父母为摆脱财务困境苦苦挣扎。在亲眼目睹了这些情景之后，我决心开始寻找能够教给自己金钱知识的人。不久，我就跟随富爸爸学习。其实，可以说我从 9 岁的时候就开始跟随富爸爸学习了，直到我年满 38 岁。对我而言，那就是自己追求的教育，是自己的"商学院"，一个面向现实生活的商学院。得益于富爸爸的教育训练，我在 47 岁那年提早退休，实现了财务自由。现在回想起来，如果我当初听从穷爸爸的建议，争取做一名好雇员，直到 65 岁时退休，那么，我现在也许还正在为保住自己的饭碗、为个人退休金账户中的共同基金不断贬值而整日忧心忡忡呢！富爸爸与穷爸爸的建议泾渭分明，区别明显，穷爸爸常说："上学争取好成绩，以便将来找到一份待遇优厚的安稳工作。"富爸爸的建议则是："如果你想成为富人，就需要去做一名企业所有者和投资者。"我个人面临的问题是，学校并没有教我如何拥有自己的企业，或者成为一名投资者。

"如果你想成为富人，就需要去做一名企业所有者和投资者。"

托马斯·爱迪生为什么成为一位富有的名人

"噢，你今天在学校里学了些什么东西？"富爸爸漫不经心地问道。

我稍加迟疑，回答说："我们今天学习了托马斯·爱迪生的生平。"

"那是一位值得好好研究的重要人物。"富爸爸显然兴致大增，接着追问道，"你们讨论过他怎样成了一位富有的名人吗？"

"没有。"我回答说，"我们仅仅讨论了他的一些伟大发明，比如白炽灯泡。"

富爸爸微微一笑，接着说："嗯，我实在不愿意与你们学校的老师唱反调，但是，严格说来，托马斯·爱迪生并不是第一位发明白炽灯泡的人，他只是将白炽灯泡做得更好罢了。"富爸爸解释说，托马斯·爱迪生是他心目中的一位英雄，他曾经仔细研究过托马斯·爱迪生的生平。

"但是，托马斯·爱迪生为什么被看做是白炽灯泡的发明者呢？"我感到有些困惑。

"其实，早在托马斯·爱迪生造出白炽灯泡之前，已经有不少白炽灯泡问世了，问题是那些白炽灯泡都不实用，不能长时间照明。此外，早先的白炽灯泡发明者都不能解释白炽灯泡怎样才能具有商业价值。"

"商业价值？"我更加困惑不解。

"也就是说，其他发明者都不懂得怎样从自己的发明中赚钱，而托马斯·爱迪生本人恰恰深谙此道。"富爸爸接着解释说。

"也就是说，托马斯·爱迪生首先发明了'有用'的白炽灯泡，并且懂得怎样将白炽灯泡转化为一个成功的商业。"我慢慢领会了一些富爸爸的意思。

富爸爸轻轻点了点头，说道："正是托马斯·爱迪生超人的商业意识，才使他的很多发明造福于亿万人。显然，托马斯·爱迪生绝不仅仅是一位伟大的发明家，他还是通用电气公司以及其他很多大公司的创始人。老师向你们介绍这些情况了吗？"

4

"没有。"我回答说，"我希望老师能够介绍这方面的情况，但是他们没有这样做。如果老师介绍了这方面的知识，我肯定会对学校开设的这些课程更感兴趣。现在的情况恰恰相反，我感到在课堂学习托马斯·爱迪生的生平非常无趣，心想托马斯·爱迪生与我们的生活有什么关系呢？如果他们告诉我托马斯·爱迪生变得富有的奥秘，我可能在学习他生平事迹的时候兴趣更大，听得也更仔细一些。"

富爸爸又一次哈哈大笑起来，他向我详细介绍了大发明家托马斯·爱迪生创办价值数十亿美元的企业、成为千万富翁的经过。富爸爸说，托马斯·爱迪生童年时代之所以辍学回家，就是因为老师认为他太笨，不可能在学业上取得成功。后来，年少的爱迪生找到了一份在铁路上卖糖果和杂志的工作。就是这样一份简单、枯燥的工作，磨炼了爱迪生的销售才能。不久，他开始印刷自己的报纸，雇用了十几个男孩子推销自己的糖果和报纸。可以说，尽管自己还是个孩子，他就成功实现了从雇员到企业所有者的角色转换。大约一年之后，他就雇用了一些男孩子替自己打工。

"这就是托马斯·爱迪生开始自己商业生涯的经过吗？"富爸爸讲述的这些新鲜话题自然让我兴趣陡增。

富爸爸点了点头，脸上露出了我熟悉的微笑。

"为什么老师不告诉我们这些东西呢？"我心里忽然升起了一股莫名的悲哀，"我肯定喜欢听你介绍的这些内容。"

"后面还有很多。"富爸爸接着讲述了爱迪生的故事。富爸爸说，爱迪生很快厌倦了自己在火车上的生意，开始学习怎样收发莫尔斯电码，以便将来成为一名报务员。很快，爱迪生就如愿以偿，成为当地最出色的报务员，他运用自己娴熟的电报收发技术奔波于各个城市之间。停顿了一下，富爸爸又说："少年时代担任'企业主'和报务员的经历，对他日后成为企业所有人和白炽灯泡发明者都很有帮助。"

"担任报务员对他后来成为一名优秀的企业所有人会有什么帮助呢？"富爸爸刚才的一番话，倒让我又有些糊涂了，我接着追问道："爱迪生的故事与我本人想成为富人之间有什么联系呢？"

"让我慢慢向你解释。"富爸爸说："实际上，托马斯·爱迪生绝不只是一位伟大的发明家。早在孩提时代，他就是一名出色的小商人。因而，他后来才会非常富有，声名卓著。他没有去上学，而是在现实生活中获得了一系列商业技巧，这些技巧都是他取得商业成功的必要前提。你曾经问过我，富人为什么能成为富人，是吗？"

"是的。"我轻轻点了点头，也为刚才不由自主打断了他的话感到有些局促不安。

"其实，促使托马斯·爱迪生发明白炽灯泡，而且闻名于世的原因，正是他本人此前作为一名商人和报务员的经历。"富爸爸说，"作为一名报务员，他懂得电报的发明者之所以如此成功，就是因为发明者促成了一个庞大的商业系统，一个由电线、电极、熟练的报务员以及中转站等组成的庞大系统。可以说，在非常年轻的时候，托马斯·爱迪生就懂得了系统的力量。"

我禁不住跳了起来，大声说道："你的意思是，因为托马斯·爱迪生是一位商人，所以他懂得系统的重要性，这些系统甚至比发明本身还要重要？"

富爸爸点点头，说道："你看，大多数人上学就是想学习如何成为一名雇员，因此，很多人目光短浅、狭隘，未能看到更广阔的前景。他们只知道自己所从事的工作的价值，因为他们长期以来接受的教育和训练就是如此。可以说，他们只看见了'树木'，而没有看见'森林'。"

"所以，很多人为某个庞大的系统而工作，而不是去拥有和主宰这个系统。"我接过富爸爸的话说。

富爸爸点头称是，接着说："他们所看到的只有发明或产品本身，却没有看到更大的系统。很多人并没有真正明白，到底是什么东西让富人成为富人。"

"那么你刚才所说的在托马斯·爱迪生与他发明的白炽灯泡上是怎样表现出来的呢？"我仍然有些不明白。

"让白炽灯泡风靡全球的原因，并不仅仅在于白炽灯泡本身，而是向白炽灯泡提供电能的电线、电站等共同组成的电力系统。"富爸爸解释说，"托马斯·爱迪生之所以富有而著名，原因就在于他视野开阔、想像力丰富，其他人却仅仅盯着白炽灯泡本身而已。"

"还有，他之所以视野开阔、想像力丰富，原因就在于他早年在火车上的商业经历，以及随后当报务员的经历。"我慢慢领会了富爸爸的想法。

富爸爸点点头，接着说："表示系统的另外一个词是'网络'。如果你真想学习怎样致富，就必须着手理解'网络'的力量。世界上最富有的人总是在不断地建立网络，而其他人则被教育着去找工作。"

> **"世界上最富有的人总是在不断地建立网络，而其他人则被教育着去找工作。"**

"如果没有电力网络，白炽灯泡对人们来说就没有多少实际意义。"我说。

"你真正理解我的意思了。"富爸爸笑着说，"因而，富人就是那些建立和拥有自己的系统的人，也就是那些建立和拥有自己的网络的人。拥有自己的网络，让他们变得富有起来。"

"网络？你的意思是，如果我想成为一位富人，就需要学会建立自己的商业网络，是吗？"我仍然不能完全明白富爸爸的话。

"对，你算理解了我的说法。"富爸爸一脸平静，他接着说，"致富之路有好多条，但是，巨富们总是注重建立自己的网络。让我们简单回顾一下当年约翰·洛克菲勒成为世界首富的经过吧！他本来不过是一位石油开采商，成为世界首富的原因，就是成功组建了遍布美国的加油站和输油管道网络。通过这些网络，约翰·洛克菲勒变得非常富有，势力如日中天，以致美国政府不得不出面干预，将他建立起来的网络称为'垄断'，迫使他进行拆分，以便鼓励更多的竞争。"

"还有，亚历山大·格雷厄姆·贝尔发明了电话，最终形成了一个名叫美国电报电话公司（AT&T）的庞大电话网络。"我接了一句。

富爸爸点点头，说道："随后出现了收音机网络、电视网络，每当一种新发明出现的时候，建立和支持这些新网络的人就会致富。很多报酬优厚的电影明星、体育明星之所以非常富有和著名，很大意义上来讲都是收音机和电视网络的功劳。"

"那么，我们现行的教育体制为什么不教我们建立自己的网络呢？"我仍然有些困惑。

富爸爸耸了耸肩，慢慢说道："我也不明白，我想或许因为大多数人只想找份工作，只想做一个庞大网络中的雇员吧。其实，正是这个庞大的网络让富人更富有。我不想为富人工作，因此我建立了自己的网络。我早年没有赚到多少钱，因为我当时需要花时间建立自己的网络。整整有 5 年时间，与周围人相比，我赚到的钱甚至还要少一些。然而，10 年之后，我比大多数同学要富有好多，甚至比当医生和律师的同学还要富有。现在，我拥有的财富比他们梦想自己能够赚到的钱还要多得多。一个精心设计和管理商业网络的人，所得到的收益将会是只知道整日辛劳者的数十倍。"

富爸爸接着解释说，人类历史上因建立了自己的网络而致富和著名的人很多。火车发明时，很多人开始变得富有。同样的故事相继发生在飞机、轮船、汽车，以及像沃尔玛超市、Gap 服装店、Radio Shack 电子产品专卖店之类的零售商身上。在当今世界，如果人们愿意建立自己的商业网络，获得巨额财富，那么威力强大的超级电脑和个人电脑都能帮助他们如愿以偿。本书以及我们的富爸爸网站（www. richdad. com），都致力于为那些渴望建立自己商业网络的人们服务。

现在，我们就有一些非常典型的例子：世界首富比尔·盖茨，就是通过将其电脑操作系统装配进 IBM 公司的庞大网络而致富；披头士乐队之所以享誉全球，就是借助了收音机、电视机和录音机建立起来的网络；互联网是最新出现的全球性网络，它已经让很多人成为百万富翁，有些人甚至成为拥有数十亿美元的富翁。另外，我本人的写作技能曾经为自己带来数百万美元的财富，这并非因为我是一位伟大的作家，而是由于我的商业合作伙伴美国在线—时代华纳公司的巨大网络。他们是一个伟大的公司，拥有一大批伟大的员工。同样，富爸爸网站也是与全球其他公司联系的网络，这些公司遍及日本、中国、澳大利亚、英国、加拿大、印度、新加坡、马来西亚、印度尼西亚、墨西哥、菲律宾、台湾等国家和地区。正如富爸爸所说："富人总是在建立自己的商业网络，而其他人则总是在寻找工作。"

富人为什么更加富有

我们常常听到有人说："物以类聚，人以群分。"这句话同样适用于富人、穷人和中产阶层。也就是说，富人总是与富人建立网络，穷人总是与穷人建立网络，而中产阶层总是与中产阶层的人建立网络。富爸爸的口头禅之一，就是"如果你想致富，就要与富人或者能够帮助你致富的人建立网络。"他接着指出，非常不幸的是，"很多人终其一生，都是与财务上扯自己后腿的人建立网络。"因此，本书的观点之一，就是想告诉大家，直销企业就是那些拥有能够帮助你更加富有的人的企业。大家或许要扪心自问："我工作的公司、共事的人能否让我自己致富呢？或者，这些公司、个人是不是更有兴趣让我继续成为他们埋头干活的工人呢？"

15 岁那年，我就懂得了使自己成为富人、实现财务自由的一条途径，就是与那些能够帮助自己成为富人、实现财务自由的人建立网络关系。这对于我具有特殊的意义。不过，在当时我的很多中学同学看来，最要紧的事情无非就是要争取好成绩，以便将来找一份安稳、体面的工作。可以说，15 岁那年，我就打算与那些希望我将来成为富人的人建立友谊，而不愿意结交那些希望我将来成为一个为富人工作的忠诚雇员的人。回顾过去，我觉得 15 岁那年的决定让自己的整个生活发生了根本改变。这并不是一个容易作出的决定，因为当时我必须审慎选择自己需要仔细请教的老师。对于想建立个人企业的人来说，审慎选择自己共处的对象，审慎选择自己的老师非常重要。这样，早在中学时代，我就开始仔细选择自己的老师和朋友了，因为家庭、朋友和老师是当时我们个人网络的重要组成部分。

直销业是献给人们的一所商学院

撰写这本关于直销业的图书，我个人感到有些紧张。正如富爸爸当年给予我的教育那样，很多直销公司目前正在为数百万人提供了类似的观点，即建立个人网络远远胜过为了某一网络终生辛劳。

教育人们懂得建立个人企业、个人网络的作用，并不是一件容易的事情。因为长期以来，人们所接受的教育，都是要去做一名忠诚的、勤勉工作的雇员，而不是去做一名建立个人网络的企业所有人。

从越南战场归来之后，（我曾经是一名海军陆战队军官，担任直升机飞行员。）我一度打算回到大学攻读 MBA 学位。富爸爸劝我打消了这个想法，他说：“如果你从一家传统的学院获得 MBA 学位，你仍然只是一位富人的雇员；如果你想有朝一日真正成为富人，而不是富人的高薪雇员，就需要进入可以将自己培养成为企业所有人的商学院，我希望你能进入这样的商学院。”

富爸爸接着说：“当今大多数传统商学院存在的问题是，它们招收了最聪明的学生，然后将他们培养成为富人的雇员，而不是为公司员工服务的经理人。”如果大家留意安然公司和世界通信公司的财务丑闻，就可以看到很多受过高等教育的经理人惟利是图，只想到自己利益，而对于将个人一生所有积蓄托付给他们的员工和投资者的利益毫不在乎。很多受过高等教育、领取高薪的经理人，一方面劝告员工购买自己公司的股票，一方面悄悄抛售自己手头的公司股票。尽管安然公司和世界通信公司的丑闻只是特例，但是，这类自私自利、巧取豪夺的行为还是每天都在股市和很多公司发生着。

我本人大力支持直销业的主要原因就是，在我看来，很多直销公司都是人们真正需要的商学院，而不是那种招来聪明学生，然后将他们培养成为富人雇员的传统意义上的商学院。许多直销公司是真正意义上的商学院，它们向大家讲授一些传统商学院尚未发现的价值，比如，致富的最佳途径就是让自己和别人成为企业所有人，而不是成为那些为富人工作的忠诚、勤勉的雇员。

致富的其他方法

很多人通过建立直销企业获得了大笔财富，事实上，我的一些非常富有的朋友就是这么做的。不过，俗话说，"条条大路通罗马"，通过其他方法当然也能够获得大量财富。因此，在接下来的一章中，我们将要介绍致富以及实现财务自由的其他方法，也就是怎样通过努力，使自己不再忍受谋生的艰难，不再一味追求工作的安稳，不再依靠每月薪水生活。读过下一章后，大家对于建立直销企业就是创造个人财富的最佳途径，是实现自己梦想和激情的载体，可能就有了更深刻的理解。

第 2 章

致富之路有好多条

"您能教我成为富人吗？"我问自己的生物老师。

"不能。"老师回答说，"我的工作就是帮助你毕业，以便将来找到一份好工作。"

"但是，如果我将来不想只是去找一份工作，那该怎么办呢？如果我想成为一名富人，又该怎么办呢？"我忍不住追问老师。

"你为什么要成为一名富人？"老师反问道。

"因为我渴望自由，我渴望拥有足够的时间和金钱去做自己想做的事情。我不想在大半生里做一名雇员，不想让薪水的多少主宰自己的生活梦想。"我稍稍有些激动起来。

"这种想法很荒唐，你梦想着能够过上富人的生活，但是如果你不能在学校取得好成绩，不能找到一份高薪工作，你就根本不可能过上一种富足的生活。"老师显然对我的说法不屑一顾，他接着说，"好了，别闹了，快回去做你自己的解剖青蛙实验。"

在我的其他几本书和教育项目中，我常常提到，如果我们想在财务上取得成功，需要三种不同类型的教育，它们分别是：学校教育、职业教育和财商教育。

学校教育

这种教育让我们学习阅读、写作、算术等基本技能，它自然非常重要，尤其是在当今世界。就个人情况而言，我在这方面做得并不好。大多数时候，我只是一个考试成绩为"C"、勉强及格的学生，原因是我对于学校所教的那些东西没有多少兴趣。我读书很慢，写作也不大好，但是，我还是读了很多东西，不过读书速度仍然很慢，常常需要读两三遍才能完全理解。我还是一位能力平平的作家，尽管我一直坚持写作。

虽然我只是一位能力平平的作家，但另一方面非常幸运的是，我个人有 6 本书登上了美国影响最大的《纽约时报》、《华尔街日报》、《商业周刊》畅销书排行榜。正如我在《富爸爸，穷爸爸》一书中所特别指出的，我并不是一位写作能力最好的作家，但我是一位畅销书作家。富爸爸对我的销售训练让我自己获得了丰厚回报，当然这种训练对我在校期间的学习成绩没有多少帮助。

职业教育

职业教育让我们懂得怎样为了赚钱而工作。在我的青年时代，聪明的孩子往往继续深造，成为医生、律师和会计师。还有一些职业学校，专门培养护士、管道工、建筑工人、电工和汽车机械师。大家只需要翻阅手头的电话簿，就很容易找到培养职业技能、帮助人们更容易找到工作的各类职业培训学校。

就我个人而言，由于在第一方面的教育——学校教育方面表现不佳，周围人不大鼓励我将来成为一名医生、律师或会计师。因此，我报考了位于纽约市的一家培养船长的学院，学员毕业后将要登上货船或客轮，比如驾驶标准石油公司的油轮，或者为美国电视节目中上演的"爱心之舟"这样的客轮提供服务。由于越战爆发，我毕业后没有在航运业中找到一份工作，而是来到位于佛罗里达州的彭萨科拉湾，进入美国海军飞行学院，成为了一名飞行员，随后又作为美国海军陆战队的一员来到了越南。富爸爸和穷爸爸都说，为自己的祖国而战是每个人的职责，因此我和弟弟都志愿来到了越南。23 岁那年，我就拥有船员和飞行员两项专职，但是实际上我从来没有靠它们赚钱。

有意思的是，人们现在都知道我是一位作家，而我上中学时曾经两次没有通过写作考试。

财商教育

在财商教育中，大家学习让金钱为自己工作，而不是让自己为金钱工作。现在，绝大多数美国学校都没有开设这类教育课程。

穷爸爸认为，良好的学校教育和职业教育是一个人在现实生活中取得成功的全部需要。富爸爸则说："如果没有接受过良好的财商教育，你可能会为了过上富足生活而终生劳碌、奔波。"我们创办的富爸爸网站正在竭尽全力制作各种产品，推广富爸爸倡导的财商教育。我们的产品包括纸板游戏《现金流 101》、《现金流 202》以及《现金流游戏》等①，都是通过游戏的方式，介绍富爸爸曾经传授给我的理财方法。

①　目前中国也引进了这种游戏，包括《现金流游戏》(成人版)和《现金流游戏》(儿童版)两种。——编者注

> **"学习让金钱为自己工作，而不是让自己为金钱工作。"**

一场金融灾难

在我看来，美国以及很多西方国家将来都会面临一场金融灾难，导致这场金融灾难的直接原因，就是我们现行的教育体制未能向学生提供足够的财商教育。的确非常不幸，我们在校期间并没有接受过多少财商教育，而懂得管理、投资自己的资金却是一个极其重要的生活技能。

近年来，我们亲眼目睹了千百万人在股市损失了数万亿美元。我们甚至还可以预言，在不久的将来，由于 1950 年后出生的数百万人得不到足够的退休金，美国社会有可能遭遇一场金融灾难。而且，比退休金不足还要糟糕的是医疗保健费用的严重短缺。我经常听到一些财务顾问说："退休之后，你们的生活开支就会大大降低。"其实，这些财务顾问并没有告诉大家，退休后即便大家生活开支真的有所下降，医疗保健开支却将大幅攀升。

穷爸爸认为，政府应当照顾每一个没钱的退休者。我从心底里赞同他的看法，但我还是非常担心，如果数百万人马上需要大笔生活费和医疗费，我们的政府能否承担得起。何况，等到 2010 年，婴儿潮①中诞生的 8 300 万人中的第一批就要开始退休。我提出的问题是，他们当中到底有多少人会有足够的资金维持生活？如果数百万退休老人需要数十亿美元维持生活，年轻人是否愿意

---

① 指出生率突然大幅度地增长。该处指从 1947 年到 1961 年第二次世界大战后美国的出生率大幅增长的时期。——编者注

来替他们埋单？

我认为，尽快在我们的学校教育中开展财商教育非常迫切和必要。学习管理和投资，一定也会像学习解剖青蛙那样重要。

我个人的建议

没有去找一份工作，没有政府补助，也没有投资股票或共同基金，我与妻子却能够提早退休。为什么我们没有投资股票和共同基金呢？答案是，在我们看来，投资股票和共同基金的风险太大了，当然，如果你从来没有接受过财商教育，也毫无理财经验，那么投资股票和共同基金也许是个不错的选择。

如果你留意近年来的财经新闻，也许已经发现，在 2000 年 3 月股市危机爆发前，财务顾问们建议"选择长线投资，购买并长期持有股票，并且实施多元化投资"。股市危机后，他们还在建议"选择长线投资，购买并长期持有股票，并且实施多元化投资"。你注意到他们的说法有什么不同吗？

> **"创建个人企业是致富的最佳途径，一旦创建了个人企业，并拥有了充裕的现金流，就可以开始投资其他资产。"**

因此，如果你没有接受过良好的财商教育，就可能会按照很多财务顾问们的建议去做，即储蓄、购买共同基金、进行长线和多元化投资。如果你接受过良好的财商教育，就可能不会按照这种非常冒险的建议去做。相反，你可能也会像富爸爸建议的那样，首先创办个人企业。富爸爸曾经说："创建个人企业是致富的最佳途径，一旦创建了个人企业，并拥有了充裕的现金流，就可以开始投资其他资产。"

致富的其他途径

富爸爸说："因为很多人没有接受过良好的财商教育，所以他们选择了其他很多有意思的致富途径，却不愿意建立自己的商业网络。比如，数百万人想通过购买彩票或者勤俭持家致富。而且，的确有一些人通过这些途径致富了。"接着，富爸爸指出："如果你想成为富人，就需要寻找最适合自己的致富途径。"下面就是一些人们可以选择的致富途径。

1. 你可以因为某人拥有财富而与其结婚，成为一位富人。 这是成为富人的一条十分常见的途径，不过，富爸爸同时指出："你应该明白哪种人才会为了金钱而与他人结婚。"

2. 你可以通过坑蒙拐骗成为一位富人。 富爸爸指出："做骗子的麻烦在于，你必须与其他骗子联手。不过，现在很多商业活动都建立在诚信的基础上。当你的合作伙伴是骗子的时候，你本人能得到多少诚信的对待呢？"富爸爸进一步指出："如果你是一位诚实的人，在商业活动中犯了一个诚实的错误，很多人可能都会理解你、谅解你，并且再给你一次弥补的机会。另外，如果从自己所犯的错误中吸取教训，你可能就会成为一个更出色的商人。但是，如果你是个骗子，又出了错，那么你或者进监狱，或者合作伙伴就会按照他们自己的'有效方式'惩罚你。"

3. 你可以因为贪婪而致富。 富爸爸说过："世界上因为贪婪而致富的人随处可见，贪婪的富人最受其他富人们的鄙视。"

2000 年 3 月股市危机后，整个世界被接二连三的公司财务丑闻所困扰：CEO 们向投资者撒谎；掌握内部消息的人非法抛售公司股票；公司高层一方面鼓动员工购买公司股票，一方面偷偷抛售自己手中的公司股票。数月以来，媒体上充斥着安然公司、世界通信公司、安达信公司以及华尔街股票分析师们撒谎、欺骗公众、侵害投资者利益的各类报道。可以说，这些贪婪的富人已经达到了丧心病狂的地步，他们置法律于不顾，肆意从事欺骗社会公众的勾当。进入新世纪后，又有一些更为严重的贪婪、腐败和丧失道德水准的丑闻披露，这些都足以说明诈骗和违法犯罪并不仅仅限于贩毒、戴着头套抢劫银行等活动，一些衣冠楚楚、道貌岸然的公众人物，其实也在冠冕堂皇地从事着更为严重的违法犯罪活动。

4. 你可以通过降低个人生活水准而最终致富。 富爸爸说过："通过降低个人生活水准而致富，是很多想致富的人们最常使用的方法。"接着，他进一步解释说："想通过降低个人生活水准致富的人，往往生活在他们应有的生活水准之下，而不是想方设法拓展、提高自己的生活水准。问题是，他们最后的生活水准仍然可能很低。"我们大家经常听到有些人为了攒钱而一辈子储蓄，想尽办法节省每一分钱，购买特价商品。实际上，即便最终攒下了一笔钱，他们的生活也与真正的穷人没有什么不同。在富爸爸看来，为了拥有一大笔财富，大半生过着贫穷的生活，可以说毫无意义。

富爸爸有一位朋友，他终生过着清贫的生活，拼命攒钱，除了基本生活用品以外，从不购买其他任何东西。不幸的是，三个孩子对于将来享有他的财富都有些等不及了。结果，他刚刚去世，三个孩子就想方设法补偿自己多年来跟随父亲度过的清贫生活，不到三年时间就将他留下来的所有遗产挥霍一空。这时，孩子们只能够像他当年那样过起了清贫生活。区别仅仅在于，他本人当年还曾经拥有一大笔财富。对于富爸爸来说，积攒了一大笔财富却过着清贫生活的人，就是那些崇拜金钱，让金钱主宰自己、奴役自己，而不是自己主宰金钱的人，非常可悲。

5. **你可以通过辛勤工作而致富。** 富爸爸发现，一味强调辛勤工作的人存在着致命缺陷，他们往往很难享受到金钱和生活带给自己的乐趣。也就是说，辛勤工作就是他们的全部，他们不懂得去享受生活。

为了一份菲薄的薪水而辛劳

富爸爸还曾经教导过他的儿子和我，很多人工作卖力，得到的却是很菲薄的薪水。他说："努力通过体力劳动赚钱的人，往往是为了得到一笔'错误'的收入而工作，因为这种收入需要缴纳高昂的税金。他们工作越努力，纳税也就越多。"在富爸爸看来，为了得到一笔纳税越来越多的收入而工作，从理财角度看实在算不上明智之举。相对来说，绝大多数拥有一份稳定工作的雇员，个人所得税也都是最高的。也就是说，薪水最低的人，个人税率其实往往最高。

当我还是个小孩子的时候，富爸爸就告诉我，人们的收入不止一种。他说："收入有好坏之分。"在本书中，大家将会找到一些值得去努力争取的收入，那种收入即便越来越多，纳税却可以越来越少。

富爸爸还指出，不少人辛劳终生，最后却没有多少收获。在本书中，大家将会发现：如果自己愿意，就可以通过数年的努力工作，实现财务自由，从容地决定提早退休。

6. **你可以通过非凡的聪明、才智、魅力或者天赋致富。** 老虎伍兹就是具有非凡天赋的高尔夫球员，他发展自己的天赋仅仅用了几年时间。然而，拥有过人的聪明、才智、魅力或者天赋，却并不一定保证能够致富。富爸爸指出："世界上拥有非凡天赋却没有致富的人随处可见，数不胜数。只要去好莱坞走一圈，就能遇到很多美丽、潇洒、天赋很好的演员，可是，他们的收入甚至还比不上绝大多数普通人。"统计显示，在所有职业运动员当中，65% 的人在高薪职业生涯结束 5 年后就会落得身无分文。从理财的角度看，天赋、才能或者外表并不足以保证一个人致富。

7. **你可以凭借好运气致富**。向往着凭借好运气致富，就正如试图通过降低生活水准致富那样普遍。我们大家可能都已经注意到，数百万人在彩票、赛马、卡西诺牌戏或者体育比赛上面投下了数十亿甚至数万亿美元赌注，期盼着凭借好运气转眼之间成为富人。不过，正如我们大家所知道的，这样一位幸运儿身后也许就有数以千计甚至数以百万计的不幸者。同样，调查显示，大多数中彩票的人在拿到超过自己一生正常收入 5 倍的奖金后，不出 5 年时间就会陷于破产的深渊。因而，即便能碰到一两次好运气，却并不意味着你能够长期保有自己的财富。

8. **你可以通过继承一大笔遗产致富**。不过，等到我们 20 岁左右的时候，大概就可以明白自己会继承到什么样的遗产。如果大家知道自己将来没有任何东西可以继承，那么，显然就需要去寻找其他的致富途径。

9. **你可以通过投资致富**。我们经常听到各种有关投资的抱怨，其中主要就是针对投资需要一笔资金这一点。没错，在很多情况下的确如此。投资还有另一个问题，如果你缺乏金融知识、没有受过投资培训教育，就有可能赔掉自己所有的资金，血本无归。正如我们很多人已经看到的，股市本身存在一定的风险，经常发生波动，这就意味着某一天你可能赚钱，接下来的一天又可能全部赔掉。在房地产投资领域，你虽然也可以利用银行贷款进行投资，但是自己仍需要具备一定资金、接受过一定的投资教育，最终才有可能积累大量财富。在本书中，大家将会发现一些获取投资资金的方法，不过更重要的是在承担投资风险之前，首先让自己成为一位真正的投资者。

10. 你可以通过建立自己的企业致富。 创建个人企业是很多富人变得更加富有的基本途径，比尔·盖茨创建了微软公司，迈克尔·戴尔在自己的学生宿舍创建了戴尔电脑公司。问题是，从头开始创建自己的企业存在着极大的风险。购买特许经营权风险相对较低，代价却十分昂贵。购买一家著名品牌的特许经营权，价格大约在 10 万美元到 150 万美元之间。除了最初的这笔费用之外，还需要逐月向公司总部缴纳培训、广告和后续支持费用。而且，获得了这些支持也并不能保证赚大钱。很多时候，即便自己的公司处于亏损状态，人们也要继续向特许经营公司总部缴纳各种费用。参与特许经营比自己独立创办公司的风险相对低一些，但是统计表明，1/3 购买了特许经营权的公司最终仍然破产了。

大企业所有者与小企业主的区别

在继续介绍下一个致富途径前，我想与大家聊聊小企业主与大企业所有者的不同。在我看来，两者之间最重要的区别可能在于，大企业所有者建立了自己的网络。在我们周围，到处都有开餐馆的人，显然，他们不少人只能算是小企业主。他们与创建了麦当劳的雷·克罗克的最大不同在于，麦当劳是一个以出售汉堡包著名的特许经营庞大网络。另外一个例子是，一个拥有自己电视机修理铺的企业所有者，与创建了美国有线电视新闻网

（CNN）的泰德·特纳之间的区别，主要还在于后者建立了自己庞大的网络。所以，小企业主与大企业所有者的显著区别在于，他们各自建立的网络规模不同。简单说来，建立一个庞大的商业网络是世界上最富有的人致富的根本原因。

致富的第11条途径

11. **你可以通过建立一个直销企业而致富**。我之所以将创建直销企业当成第11条致富途径，单独开列出来介绍，主要是因为创建直销企业是一种全新的、与过去许多模式截然不同的致富途径。如果大家简单回顾一下前面10条致富途径，也许已经发现它们的主要关注点都在渴望致富的个人本身。也就是说，他们或许可以被看做是过分看重金钱的人。比如，想通过降低自己生活水准而致富的人，可能就特别关注自己或几个家庭、朋友致富。出于金钱目的而结婚的人，关注的也肯定是自己能否得到一大笔财富。即便创建一家大型企业，往往也只能让特定的一些人致富。通过授予特许经营权，更多人可以成为企业所有者，进而分享财富，但是，在多数情况下，这种成功也仅仅限于购买了特许经营权的人。而且，正如我在前面提到的，购买特许经营权代价不菲，目前在美国，得到麦当劳特许经营权至少要花100万美元。因而，我并不是说购买特许经营权的公司不好，或者贪得无厌，我只是说，它们大多关注的是个人致富，而不是大家一起致富。

> **"直销企业是一个全新的、与过去许多模式截然不同的致富途径。"**

　　我将直销企业当成第 11 条致富途径单独开列出来，就是因为它是一个全新的、与过去许多模式截然不同的致富途径。在这里，人们可以与任何一位渴望致富的人共享巨额财富，直销企业体系让大家共享财富成为可能。在我看来，直销系统，也就是我常常所说的"个人特许经营"或"看不见的大商业网络"，它是一种非常平民化的创造财富的方式。只要有意愿、决心和毅力，任何人都可以参与到这个系统中。这个系统不在乎你上过什么大学，不在乎你今天赚了多少钱，不在乎你的种族和性别，不在乎你的外表和家庭，也不在乎你本人的受欢迎程度。大多数直销企业所有者关心的是你愿意学习多少东西，在学做企业所有者的过程中你是否愿意付出些东西。

> **"直销系统，也就是我常常所说的'个人特许经营'或'看不见的大商业网络'，就是一种非常平民化的创造财富的方式。"**

　　最近，我偶然听到了一位非常有影响的投资家在一个著名商学院的演讲录音。我在此不便说出这位投资家和商学院的名字，因为我想要说的不是一些讨巧的话。这位富有的投资家在演讲中说："我对于教普通人学习投资毫无兴趣，也不想去帮助那些穷人改善生活。我只想花时间在这里（即这家著名的商学院）与像大家这样聪明能干的人进行交流。"

　　尽管我个人并不赞同这位投资家的态度，但是，我依然很欣赏他的诚实、坦率。我本人在青少年时代曾经与富爸爸的一些富有的朋友经常接触，我经常听到类似的观点，当然他们讲得更谨慎、委婉一些。他们往往也公开出席一些慈善活动，为许多社会公众捐赠，但是，他们很多人做出这种姿态仅仅是为了博得人们的好感。在一些私人聚会上，我常常听到他们坦诚说出自己内心的真实想法，这些想法与上面提到的那位著名投资家的观点极为接近。

当然，并不是说所有富人都持有上面那位投资家的观点。但是，有那么多富有、成功的人士表露出不愿帮助大家致富的意愿，还是让我感到非常震惊。我需要再次声明，并不是所有富人都持有上述错误观点，但是，根据我的经验，持有上述观点的富人应该占有相当高的比例。

我支持直销业的主要原因就是，直销业相对来说，是一种更为公平、公正的致富体系。亨利·福特曾经是世界上最伟大的实业家，他通过完成自己公司——福特汽车公司的使命而成为富人。福特汽车公司的使命就是生产"平民化汽车"，这种使命之所以具有革命意义，就是因为在上一个世纪之交，汽车只属于富人，而福特的理想就是要让汽车成为人人都买得起的交通工具，成为"平民化的交通工具"。有趣的是，福特本人当时还是爱迪生手下的一名雇员，他利用业余时间设计了自己的第一辆汽车。1903年，福特汽车公司正式成立。通过大幅削减成本、建立组装线大批量生产标准化的廉价汽车，福特汽车公司一跃成为当时世界上规模最大的汽车制造厂。他不仅降低汽车售价，还向员工支付行业内最高的薪水，提供利润分享计划，每年拿出3 000万美元供员工们分红。在福特采取这些措施的上个世纪初，3 000万美元实在是一个大数目，其价值远远超过了今天。

也就是说，亨利·福特之所以致富，原因就在于他不仅关注客户利益，而且关注自己员工的利益。他是一位慷慨大方的实业家，而不是一位贪婪吝啬的商人。当然，亨利·福特也遭到了很多批评和人身攻击，这些批评和人身攻击主要来自于当时所谓的知识分子。正如爱迪生的遭遇一样，亨利·福特本人也没有接受过多少正规教育，也常常受到奚落和嘲讽。

我很喜欢关于亨利·福特的一桩轶事，说的是他曾经被要求参加一些学院派"聪明人"主持的考试。到了约定的那天，那一伙"聪明人"前来对他进行口试。他们想通过这次口试，证明亨利·福特的愚笨无知。

考试开始了，一位"聪明人"提出的问题是，他用的钢材的抗张强度是多少？亨利·福特本人不知道答案，他就直接拿起桌上的电话，喊来知道这个问题答案的公司副总经理。副总经理来了，福特向他询问这个问题的答案，副总经理马上答出了标准答案。另一位"聪明人"又提出了一个问题，福特本人还是不知道答案，他又一次打电话喊来知道答案的另外一位下属。这种情形一直在延续，后来，一位"聪明人"大声喊道："瞧，这些都证明了你的无知。你对于我们提出的所有问题都回答不上来！"

据说亨利·福特听到这句话后，轻蔑地说："我不知道答案，是因为我不想让自己的大脑被你们想要的答案所困扰。我聘请了一些毕业于你们学校的年轻人，他们能够记住你们希望我本人记住的答案。我的工作并不是要记住你们认为可以证明一个人聪明的那些信息，而恰好是要从这些细枝末节中摆脱出来，保持清醒的头脑去进行思考。"接着，他请那些学院派的所谓"聪明人"立马走人。

多年以来，我一直牢记着亨利·福特的名言："思考是一项最艰巨的工作，因而真正开动脑筋、思考问题的人少之又少。"

> "思考是一项最艰巨的工作，因而真正开动脑筋、思考问题的人少之又少。"

人人都能得到财富

在我看来，直销企业这种新型商业模式具有革命的意义。原因非常简单：这是人类历史上第一次使所有人能够共享社会财富的形式，而在此之前，只有极少数人或者幸运儿才能够得到这些财富。我注意到，关于这种新型商业模式仍然存在很多争议，而且有时候，一些不诚实的人往往试图通过这种商业模式达到一夜暴富。然而，只要你回头仔细考察一下，就会发现它的确是一种值得信赖的分享财富的模式。对于贪婪的人来说，直销企业并不是一个上佳选择。但是，根据最早的构想，直销企业却是最适合那些乐于助人者的企业。换句话说，直销企业的惟一运作模式，就是要设法帮助他人像你一样致富。在我看来，这是一种具有革命意义的崭新商业模式，具有当年托马斯·爱迪生和亨利·福特对于产业界的意义。

当然，我知道绝大多数人都非常慷慨，乐善好施。我也不打算指责贪婪，因为小小的贪婪和利己主义甚至是健康有益的。只有当贪婪和利己主义超过一定限度的时候，我们大家才会反对或者摇头叹息。很多人都慷慨大方、乐于助人，而这种新型的直销模式赋予了大家帮助更多人的能力。尽管这种新型商业系统并不适合于每个人，但是，如果你想让尽可能多的人实现自己的财务目标和梦想，直销企业就值得你花时间去努力。

小 结

今天，人们的致富途径越来越多，不过，最佳的致富途径仍然应该是最适合自己的致富途径。如果你是一位乐于助人的人，我认为直销这种新型的商业模式就非常适合你。当然，如果你没有经常帮助他人的习惯，那至少还有其他 10 种方法可以供自己选择。

在下一章中，我想和大家探讨一下很多直销企业的核心价值观。在我看来，这些核心价值观是决定你自己是否适合这个行业的至关重要的因素。富爸爸曾经告诉我们，核心价值观远比金钱更为重要，他常常说："你可以通过降低生活水准和贪婪而致富，也可以通过生活富足、慷慨大方而致富。你所选择的致富方法，一定是最适合自己内心深处核心价值观的那一种。"

第3章
核心价值之一——
真正平等的机会

常常有人问我："你本人并没有通过建立直销企业而致富，为什么还要鼓励别人涉足直销行业呢？"实际上，我鼓励大家从事直销业的原因有好多，本书中将逐步介绍一些。

我的封闭思想

20世纪70年代中期，一位朋友请我出席一个关于新型商业模式的座谈，那位朋友有研究商业和投资机会的习惯，我同意赴约。我对那个新型商业模式很陌生，但是由于这次商务会议是在私人家里而不是在办公室进行，所以我还是乐意参加。那次会议使我第一次接触到直销业。

我耐心地听完了他们长达3小时的介绍，赞同他们有关人们应该创办个人企业的大部分观点。然而，当时我没有太多注意的是，他们正在创办的企业与我自己创办的企业之间有多少不同。简单说来，我创办企业是为了让自己致富，而他们讨论创办的新型企业可以让很多人致富。当时，我的思想观念还没有这么开放，我认为创办企业就是为了让企业所有者致富。

那天晚上，朋友问我对那种新型商业模式的看法。我回答说："这种商业模式很有趣，但并不适合我。"朋友追问原因，我回答说："我已经建立了自己的企业，为什么还要与其他人建立其他企业呢？我为什么应该帮助他们呢？"接着，我又说："此外，我还听到一些传闻，说某些直销企业只是一些'老鼠会'，是不合法的。"朋友还没有来得及进一步解释，我已经走进了夜幕中，坐上自己的汽车离开了。

当时，我正在创办属于自己的第一家国际化公司。我一边忙于日常的工作，一边在业余时间创办自己的企业。我创办的是一家首次运用尼龙和"维可牢"褡裢制作的运动钱包的企业。就在那次参加直销会议后不久，我的运动钱包公司的生意开始兴隆起来。长达两年的艰苦努力终于有了回报，成功、荣誉和财富似乎一下子来到了我和两位合作伙伴身边。我们达到了自己的目标，我们在 30 岁之前就已经成为百万富翁。

在 20 世纪 70 年代中期，100 万美元不是一笔小数目。我的公司及其产品屡屡出现在诸如《冲浪者》、《跑步者的世界》、《绅士季刊》等时尚杂志上面。我们的产品是运动商品领域的"新宠儿"，备受人们欢迎，业务迅速扩展到世界各地。我的第一家国际化企业运作非常顺利，因此，当直销业这个新商业模式出现在自己面前的时候，我的思想还处于封闭状态，不愿意进一步了解。多年之后，我重新打开了自己的思路，倾听关于直销企业的介绍，才逐步改变了自己对这个新兴产业的看法。完成这种思想转变用了我 15 年时间。

思想转变

20 世纪 90 年代初期，我的一个朋友比尔告诉我，他正在从事直销业。长期以来，我非常钦佩他的理财智慧和取得的商业成功。比尔已经在房地产投资中获得了巨额财富，因此，我很吃惊他为什么要转而投身直销业。出于好奇，我问他："你为什么要进入直销的领域呢？你已经赚够钱了，不需要再赚钱了，是吗？"

比尔哈哈大笑，他说："你知道我喜欢赚钱，但是，正因为我需要钱，我才不再在原来的行业投资了。其实，我有了更大的财务目标。"

比尔在过去两年中，刚刚完成了价值超过 100 万美元的商业房地产项目，而且我知道他的确干得不错。不过，他有些含糊的回答让我更加好奇，我提高了声音，接着问道："你为什么还要建立一家直销企业呢？"

比尔沉思了一会儿，然后回答说："多年以来，很多人向我讨教房地产投资的秘诀，他们想知道如何通过投资房地产而致富。很多人想知道，他们是否可以与我一起投资，以及怎样找到不用付现款的房地产投资项目。"

我轻轻地点了点头，说道："我也会提出同样的问题。"

"问题是，"比尔接着说，"大多数人无法与我一起投资，因为他们没有足够的资金，他们拥有的资金根本达不到我要求的最低投资限额——5 万或者 10 万美元。还有，很多人想投资不用付现款的房地产项目的原因，就是他们本人根本没有资金。因此，他们寻找的所谓价格低廉、不用缴付现款的项目，其实往往都是一些非常糟糕的交易。你我都明白，最好的房地产交易都是由拥有大笔资金的富人完成的，而不是由没有资金的人完成的。"

我点点头，说道："我理解这一点，我自己曾经非常贫困，以致银行和房地产代理机构根本不愿意与我认真打交道。你的意思是，他们没有钱，或者没有足够的钱来让你帮助他们，他们甚至没有实力参与你的房地产投资项目，是吗？"

比尔点点头，接着说："更重要的是，如果他们只有一点点资金，那笔资金往往很可能就是他们仅有的生活积蓄。你知道，我并不鼓励大家将个人的全部资产用来投资。更重要的是，如果用个人生活积蓄投资，常常就非常害怕赔钱，精神高度紧张。"

我与比尔的谈话又持续了好几分钟，接着就急忙赶往机场。我仍然不能完全明白他为什么要投身直销业，但是，我过去一直封闭的大脑现在开始慢慢开放。我开始想进一步了解像他那样富有的人还要投资做直销企业的原因。我开始意识到，对于商业活动而言，还有比金钱更为重要的东西。

随后的几个月里，我与比尔的对话还在继续。慢慢地，我开始理解他涉足直销业的原因了。这些原因主要有：

1. **他想帮助别人。** 这一点是他投资直销业的主要原因，虽然他本人非常富有，但他并不是一位贪婪和傲慢的人。

2. **他想帮助自己。** "要与我一起投资，你首先必须富有。我意识到，如果帮助更多人致富，我就会有更多的投资者。"比尔说，"有意思的是，我帮助致富的人越多，帮助他们建立的个人企业越多，我自己的业务也就越会得到长足发展，我也会变得更加富有。现在，我有了一个日渐庞大的消费配送企业，有了更多投资者，自己也拥有了更多的投资资金，这是一个双赢的结果。因而，近年来，我开始投资更大的房地产项目。正如你所知道的，投资小型房地产项目很难让自己变得富有起来。当然，小型房地产项目也可以做，但是，如果你没有大量资金，那么，你所投资的项目大概也都是些富人们不感兴趣的项目。"

3. **他喜欢学习和指导别人。**"我喜欢与渴望不断学习的人共事。"在后来的一次谈话中，他对我说，"与那些自以为无所不知的人一起工作，真是一件非常痛苦的事情。在房地产投资领域，我就遇到了很多自以为无所不知的人。在我看来，开办直销企业的人都是些想要寻求新答案的人，而且他们准备学习新东西。我喜欢不断学习，喜欢指导别人，喜欢与他人分享新思想。你知道，我拥有一个会计学学位，一个 MBA 学位。直销业给了我传授自己的知识并与大家一起学习的机会。如果你置身其中，一定会吃惊地发现，这个行业中汇聚了那么多来自不同背景的非常聪明、接受过良好教育的人们。当然，这个行业中还有大批没有接受过多少正规教育的人，他们在此接受了寻求财务安全所需要的教育。我喜欢指导别人，也喜欢学习新东西，因此我爱上了这个行业。这是一个伟大的事业，也是现实生活中一所伟大的商学院。"

一个新开放的思想

因此，20 世纪 90 年代早期，我的思想逐渐开放，对于直销企业的看法也慢慢发生了改变。我开始看到了过去未曾看到的东西，开始看到了直销行业良好的、积极的一面，而不仅仅是消极的一面。其实，世上绝大多数东西都有消极的一面。

1994 年，我在 47 岁的时候实现了财务自由，提早退休，开始研究直销企业。无论什么时候，只要有人请我出席他们的座谈会，我都会欣然前往，仔细聆听他们的发言。如果我真喜欢他们所说的，就会加入他们的直销企业。但是，我加入直销企业的目的并不是为了更多地赚钱，而是为了了解每个公司正反面的影响。我没有禁锢自己的思想，而是想找到自己的答案。在考察了一些公司之后，我看到了很多人在初次接触直销业时所看到的不好的一面。的确，很多梦想家、掮客、骗子、失败者和一夜暴富的艺术家都被吸引到了这个行业中。直销企业的一个很大的特点，就是它们的门户开放原则，只要愿意，几乎人人都可以参与进来。门户开放原则赋予每个人公正、公平的参与机会，这也是长期以来社会学家们所孜孜以求的东西，然而，我从来没有在有关直销企业会议上遇见过任何一位货真价实的社会学家。看来，直销企业是针对资本家的，或者至少是针对那些希望成为资本家的人士的。

"直销企业奉行门户开放原则。"

见过很多积极赶超崇拜者的狂热分子、掮客和梦想家之后，我最后终于遇到了一些直销公司的领导者。与我从事商业活动多年来遇到过的人相比，他们都是一些最聪明、最和善、道德高尚、充满理想和专业精神的人。直到我突破了以往偏见、遇到了自己尊敬的人们后，我才真正发现了直销行业的核心本质。现在，我看到了过去不曾看到的东西，看到了正反两方面的东西。

因此，本书的一部分将要回答下列问题："你本人并没有通过建立直销企业而致富，为什么还要鼓励别人涉足直销业呢？"也许正是由于我没有从直销企业中赚钱，所以我对于这个行业的认识可能会更客观公正。本书将要介绍我所看到的有关直销企业的真正价值——直销企业的意义，并不仅仅在于能够赚很多钱，而是因为它是一种深切关怀普通人生存状态的商业模式。

我支持直销企业的主要原因，就是我一直痛恨传统教育体制中的价值观念。16 岁那年，我刚刚进入中学不久，一位老师对我的朋友玛莎说，她将来永远不会有多大出息，因为她在学校里表现平平。玛莎是一位害羞、敏感的女孩子，我亲眼目睹了老师那句话给她心灵留下的巨大创伤，中学毕业前不久，玛莎辍学回家了。

我认为，现行学校教育与公司存在的问题如出一辙。这完全是一种所谓的"适者生存"的价值系统，完全是一种生物界"物竞天择、适者生存"模式的翻版。如果一个人开始时遇到了麻烦，或者难以理解一些东西，这个价值系统就会直接淘汰他。可以说，这个系统几乎丧失了它自身的勇气和良心。

我在施乐公司任职的时候，朋友罗恩的季度销售业绩很糟糕。销售经理不仅没有帮助、指导他，反而开始威胁他说："如果你不能很快将东西推销出去，就要被解雇了。"时至今日，我依然记得销售经理当时的话。结果，一周后罗恩就离开了。

所以，我支持直销企业的另外一个原因就是，在绝大多数情况下，直销公司都是非常富于同情心的企业。如果你愿意进一步了解，按照自己的步骤学习研究，直销企业就会对你大有帮助。很多直销企业是真正机会平等的企业，如果你投入时间和精力，就会有十分可观的收获。尽管我本人并没有从直销企业中获得多少财富，我还是支持这种拥有人类同情心、真正机会均等的新型商业模式。

小　结

在 18 岁到 27 岁之间，我在军事学院接受了大学教育，接着在美国海军陆战队服役。上述两种机构中的价值观就是"适者生存"的价值体系。在军事学院，如果你给出老师想要的答案，就可以毕业；如果你不能给出老师想要的答案，就不能毕业。在海军陆战队，如果你严格按照训练去做，就能在搏斗中生存下来。在战争状态，"适者生存"的确具有一定的合理性。

我从越南战场回国以后，就想改变自己曾经接受的一些价值观了。我不想再去玩从学校学到的非输即赢的零和游戏，不想再玩适者生存的游戏。因而，我们的富爸爸网站（www.richdad.com）宣称自己的使命便是："全面提升人类的财务状况。"我们认为，一个孩子在学校表现欠佳，或者踏入社会后未能找到一份高薪工作，并不意味着他们将要终生遭受财务困扰。

我们富爸爸网站鼓励大家投身直销业的另外一个原因，就是我们感到虽然并不是全部，但是大多数投身直销业的人士都担负着相同的使命。今天，我不是在考场击败自己的同学，不是在战场消灭自己的敌人，也不是在商业领域战胜自己的对手，而是想与那些乐于帮助他人完成商业目标和梦想、永远不会伤害他人的人一起共事、合作。对我来说，这就是值得支持的事情。

从 2003 年开始，富爸爸网站进一步推广《现金流游戏》（儿童版），将原来游戏制作成在线电子游戏。这种在线电子游戏以及与之配套的课堂教学是专门为 5～12 岁的儿童准备的，通过互联网向他们免费提供。这是我们回馈社会的一种方式，也是我们提醒自己要慷慨大方，而不要贪婪和吝啬的方式。

上述娱乐游戏和课程将对全世界年轻人进行基本的财商教育和技能培训，在我还是一个小男孩的时候，富爸爸就曾经教给我这些东西。多年以前，披头士乐队曾经唱道："我们所有的歌声都是为了给和平一个机会"，套用他们的说法，我们富爸爸网站要说的，也就是"给所有的孩子一个机会"，给所有孩子一个平等的机会，使他们接受扎实、良好的财商教育。我们认为，造就未来社会和平的最佳途径，就是积极消除贫困，就是进行财商教育，而不是散发各种财务文件或传单。正如富爸爸经常所说的："如果你给穷人钱，只会让他们更加长久地陷于贫穷。"

现在，很多直销公司通过给予人们更多的机会，缔造着世界和平。直销企业不仅在所有主要的资本主义国家蓬勃发展，而且在很多第三世界国家生根发芽，为数以亿计生活在贫困状态中的人们带来了希望。而另一方面，很多传统公司只有在人们富有、有钱消费的时候，才能够生存。现在，已经到了全世界人民平等享有富足、富裕的生活，而不是终生勤勉劳作、却仅仅让富人更加富有的时候了。如果贫富差距继续扩大，和平就是一件更困难的事情。

下一个价值

下一章讨论很多直销企业提供的改变人生的教育的价值。如果你想在生活中改变财务状况，那么，接下来的一章及其介绍的价值观就需要你仔细阅读。

第4章

核心价值之二——
改变人生的商业教育

不只是跟赚钱有关

"我们有最好的回报计划。"在我调查各类直销企业时，经常能听到诸如此类的话。直销公司的人们急于向我展示他们的商业机会，他们很可能告诉我某人每月通过直销业务赚取了数十万美元的故事。我还遇到过一些人，他们的确从自己的直销企业中每月赚取了数十万美元，我一点也不怀疑直销企业巨大的赚钱潜力。

事实上，直销企业能够赚大钱的特点吸引了很多人。然而，我向大家推荐直销企业的主要原因，却并不是因为它可以让我们赚取大笔金钱。

也并不是因为直销的产品本身

"我们有最好的产品。"这是我考察的时候，很多直销企业强调的第二个方面。我还发现一个有趣的现象，很多强调自身产品的公司，他们的产品介绍往往都是围绕着产品给人们生活带来了巨大改变展开的。在一次会谈中，公司创始人告诉我，她如何发明了秘方，在艾奥瓦州挽救了自己病危的母亲。结果，经过调查，我发现她母亲根本没有在艾奥瓦州生活过，而她所谓的在加利福尼亚实验室发明的药物，不过是她将其他公司的产品贴上自己的标签罢了。正如我在前面讲过的，与其他任何商业和职业活动一样，直销业中也充满了各种欺骗和伪装。

客观地说，我也发现一些直销公司本身拥有伟大的产品，有些产品时至今日我还在消费或使用着。我在本章将要阐述的主要观点是，虽然诱人的回报计划和产品非常重要，但是，却并不是企业所要考虑的最重要的方面。

直销企业可供选择的业务有好多

在调查各类直销公司的过程中，我吃惊地发现，原来很多产品或服务都可以通过直销实现。

我在 20 世纪 70 年代初次接触直销的时候，他们销售的主打产品是维生素。我试用了一些维生素，发现质量很好。直至今天，我还在使用他们销售的维生素。随着研究的深入，我发现直销企业销售的产品还包括：

1. 化妆品、护肤品以及其他美容产品；

2. 电话服务；

3. 房地产服务；

4. 金融、保险、共同基金和信用卡服务；

5. 法律服务；

6. 网上销售配送，以折扣价销售一些产品（其中包括沃尔玛超市销售的大部分产品）；

7. 保健产品、维生素以及其他产品和相关服务；

8. 珠宝；

9. 纳税服务；

10. 教育玩具。

上述名单还在不断添加，我每月至少都可以听到一家新直销公司推出一种新产品或回报计划。

那是一种教育计划

我推荐直销企业的首要原因，就是他们提供了一种全新的教育体系。我鼓励大家花时间分析一下直销企业的回报和产品，仔细探究一下直销企业的核心本质，看看他们到底是否真的对训练和教育人们感兴趣。当然，这要比单纯听 3 个小时推销培训、看看印制精美的产品目录、了解人们从中赚了多少钱花费更多时间。如果你想真正了解这种教育的优点，可能需要下些工夫，仔细分析他们的训练、教育课程与活动内容。如果你一开始就喜欢他们的介绍，可以花些时间与公司负责教育培训的人实际接触，进一步了解详情。

不过，大家一定要备加小心，因为很多直销公司都声称自己拥有良好的教育培训计划。但是，我发现实际情况并不完全如此。我考察过的一些直销企业的教育培训计划，其中仅仅包括一个推荐书目，他们的关注点就是教导人们将自己的朋友和家人介绍给公司。所以，大家需要多花点时间，仔细考察，因为拥有良好教育培训计划的直销企业实在很多。在我看来，这些教育培训计划都是最好的实际商业训练。

直销企业教育培训计划的目标

如果大家过去接触过我的其他图书，一定知道我的出身。我来自一个教育者的家庭，父亲曾经是夏威夷州教育系统的最高长官。尽管如此，我仍然不大喜欢我们传统的教育体制。后来，虽然我接到了纽约的一家著名军事学院的录取通知书，平静地度过了学生生活，顺利地获得了理学学士学位，但是传统教育还是让我感到非常厌烦，我对于学校要求学习的东西从未感觉到有什么挑战，也很少产生过什么兴趣。

大学毕业后，我参加了美国海军陆战队，在佛罗里达州的彭萨科拉湾接受了海军飞行训练。那个时候，越南战争已经开始，军队非常需要飞行员。作为一名飞行学员，我发现了一种让自己兴奋、富有挑战性的教育。我们很多人经常听到化蛹成蝶、脱胎换骨的说法，在飞行学校，情况的确如此。当我进入飞行学校的时候，已经是一位接受过 4 年军事训练的军官。但是，很多进入飞行学校的学员却都是刚刚从普通院校转来的，真的就像"蛹"一样。当时正是嬉皮士流行的年代，他们的外表打扮都很另类，着装五花八门，留有长发和胡须，有些人还穿着拖鞋，他们就要开始改变自己人生的教育培训项目了。如果他们在训练中能够幸存下来，两三年后就将变成美丽的"蝶"，准备执行世界上最为严酷的飞行任务。

在电影《壮志凌云》中，世界著名影星汤姆·克鲁斯成功扮演了一位美国海军飞行学校学员化蛹成蝶的故事。在奔赴越南战场之前，我也在加利福尼亚州的圣迭戈，那里恰好是影片中那所飞行学校的所在地。虽然我并不像那所著名飞行学校的学员那样优秀，但是，我们参战之前，还是像影片中的年轻飞行员们那样充满了信心和力量。我们从毛毛躁躁、衣着随便、不懂飞行的小伙子，变得训练有素，遵守纪律，身体、精神和情感上都做好了应对很多人极力避免的各种严峻挑战的准备。其实，当时发生在自己以及同学们身上的巨大变化，也就是一种所谓的"改变人生的教育"。等到我结束了飞行学校的生活，前往越南战场，我的整个人生彻底发生了改变，我已经不再是当年踏进飞行学校时的样子了。

多年之后，很多飞行学校的同学都在商业领域取得了非凡成就。我们一起回顾过去的时候，常常都认为当年在飞行学校接受的训练，为自己日后在商业领域的成功起到了非常重要的作用。

因此，当我谈及改变人生的商业教育时，常常感到教育足以"化蛹成蝶"，让一个人产生突飞猛进的"蜕变"。如果大家有意，我很想推荐一种能够给大家的生活带来巨大变化的教育计划，那就是很多直销公司提供的教育培训计划。

不过，我还是要提醒大家，正如当年在飞行学校曾经发生的那样，并不是每个人都能够顺利完成这项教育训练计划。

现实生活中的商学院

那所飞行学校最值得称道的一点，就是由刚刚从越南战场回国的飞行员担任教练。他们给我们传授的内容，都源于自己的亲身体验。相反，传统商学院（我曾经在商学院待过很短时间）的致命缺陷之一，就是很多老师本人并没有实际的商业经验。即便老师有商业经验，也可能不过是做过公司雇员，大多是中层经理，而不是公司的创始人。

当我进入位于夏威夷州的一家传统的商学院攻读 MBA 学位时，我发现很多时候，都是由大公司的中层经理向我们教授一些管理理论或者经济理论。如果老师没有商业经验，他们就可能从来没有离开过学校教育系统。也就是说，他们也许从 5 岁上幼儿园就开始进入教育系统，最后又留下来向学生们传授现实世界中的各类知识和技巧。在我看来，这个教育系统本身就很荒唐可笑。

我考进商学院攻读 MBA 学位的目的，就是想将来成为一名企业主，而不是一名雇员。很多中层经理或老师对于创办一家新企业一无所知，他们绝大多数本身不是企业主，而是雇员。他们很多人因为没有在实际商业领域打拼的经历，所以并没有在商业社会中生存的本领。他们很多人刚刚离开学校这个象牙塔，马上又进入了公司这个象牙塔。很多人沉迷于所谓安稳的工作和可靠的收入。也就是说，他们大多拥有良好的商业理论知识，但是，几乎都没有出色的商业技巧，从头开始创办一家新企业，获得巨额财富。如果领不到薪水，他们大多数人甚至都无法生存。

我在那所商学院待了 9 个月，后来就放弃了，再也没有申请 MBA 学位。对我来说，返回传统的商学院申请 MBA 学位，就好像返回学校让自己重新变成一只"蛹"那样。经过了飞行学校的训练之后，我一直想寻找能够让自己化蛹成蝶的商学院。1974 年，我从美国海军陆战队退役，前往富爸爸那里，他让我如愿以偿，得到了自己向往的商业教育。富爸爸商学院关注的是"让一个人致富的技巧"，而不是"企业和经济运作的理论"。富爸爸常说："技巧可以让你成为一个富人，而纯粹的理论根本做不到这一点。"

> "技巧可以让你成为一个富人，而纯粹的理论根本做不到这一点。"

那么，我是不是会为自己当年从商学院退学感到后悔呢？的确，有时候我有点后悔。不过，事实上我也曾经主动放弃了在著名大公司任职的机会。比尔·盖茨、迈克尔·戴尔、史蒂夫·乔布斯、泰德·特纳等人，也都曾经放弃过在别人看来很好的任职机会，而早期的美国企业家如托马斯·爱迪生、亨利·福特等人也曾经有过辍学的经历。我相信，这些企业家都是将现实世界的企业，看成是让自己获得实际商业经验的有趣场所。这些人最终成为"蝶"中之王，彻底改变了商业世界的面貌。

我曾经待过的那家商学院传授的知识，对于任何一位商业领域的人来说都非常珍贵。然而，他们却没有传授一些企业家应该具备的从事具体商业活动所需要的技巧和本领。相反，他们教给我们的都是做一名雇员的技巧。从那所商学院辍学后，我开始与朋友们合伙创办了第一家尼龙和"维可牢"褡裢钱包公司，在全球拥有500多家销售代理商。30岁那年，我成了一位百万富翁。不幸的是，两年后公司就倒闭了。现在看来，公司倒闭的确不是一件令人愉快的经历，却是一次很好的教育。在那三年里我学到了很多东西，不仅有关于企业的，还有对于自身的认识。

创办、失去在全世界拥有分支机构的企业，肯定不是一种建立在商业理论基础上的教育。对我来说，这种经历本身就是一种无比珍贵的教育，一种让自己最终富有的教育。更重要的，它是一种让自己变得更加自由的教育。我不想接受一种教育，这种教育只能让自己将来成为拥有 MBA 学位、四处寻找工作的"蛹"。公司倒闭后，富爸爸鼓励我说："金钱和成功可能会让你狂妄、愚蠢，而贫困和谦逊也许会让你再次成为一名积极进取的学生。"

直销企业可以说是乐于助人者的商学院，是那些渴望学到企业家的实际本领，而不是学习公司高薪中层经理技巧的人们的商学院。

通过参加一些直销企业的培训，我结识了一批拥有自己企业的领导者，他们往往都是白手起家的。他们很多人本身就是伟大的老师，因为他们传授的知识都来自于实践，而不是纯粹的理论。听过很多商业课程后，我常常发现自己非常赞同他们有关在商业领域中生存的观点，他们的观点往往言简意赅、切中要点。除了传授实际商业技巧之外，我觉得更重要的是，他们还传授在商业领域取得成功所需要的正确思想和情感态度。我发现其中一些课程非常珍贵，尤其是对于那些渴望化蛹成蝶的人来说。

培训课后，我常常与培训老师们交谈。他们不仅从自己创办的企业中赚钱，而且从投资中赚钱，这让我感到非常吃惊。他们中的一些人比许多美国公司的 CEO 赚的钱都要多，自然要比我在传统商学院遇到的老师们赚的钱多得多。

尽管这些培训老师非常富有，根本无须通过给别人上课赚钱，但是，他们对传授知识和技巧、帮助别人充满热情。其中一个原因，就是直销企业本身建立在领导者与普通人共同走向富裕的基础上，而传统企业、政府企业的出发点则是让一少部分人富裕起来，大量雇员则满足于得到一笔稳定的薪水。这些培训老师从来不会说："如果你们完不成任务，就可能丢掉自己的工作。"相反，他们会说："让我帮助大家干得更好一些！"他们也许还会说："只要你们愿意继续学习，就一直待在这里，我会向大家传授自己所有的知识和技巧。其实，我们大家同舟共济，本来就处在同一个团队里。"在我看来，这就是自己向往的商业教育。

因此，如果大家要深入了解直销企业，就要设法寻找该行业中非常成功的领袖人物，接着扪心自问，自己是否愿意从他们身上学习些什么东西。

从直销企业中，我们可以学习到一些很重要的实际商业内容，比如：

1. 成功的态度；

2. 领导技巧；

3. 沟通技巧；

4. 与人交往的技巧；

5. 克服个人恐惧、怀疑和缺乏自信的弱点；

6. 克服怕被人回绝的畏惧；

7. 资金管理技巧；

8. 投资技巧；

9. 说服人的技巧；

10. 时间管理技巧；

11. 目标设定；

12. 争取成功。

我在直销企业中遇到的成功人士，都从教育培训计划中发展、提高了上述技巧。不管大家能否在直销企业中晋升到管理高层，能否赚到很多钱，接受这些培训对于自己的将来都是无比珍贵的。如果你参加的直销教育计划切实可行，就很有可能彻底改善你的生活。

改变人生的教育

下列图表是我用来解释"改变人生的教育"这个概念的，它是一个四面体，也就是大家熟知的金字塔形，埃及金字塔已经存留了数十个世纪，历史悠久。也就是说，四面体或者金字塔是非常稳固的结构。数千年来，西方学者们认为宇宙万物中的普遍法则或规律都和"四"有关，在这里具体说来就是四面体。因此，有所谓四季之分，即春、夏、秋、冬。对于那些从事占星术研究的人来说，主要有"四行"，即土、风、火、水。在我讨论改变人生的教育时，这种变化仍然表现在四个方面。也就是说，为了让改变人生的教育真正发挥作用，就必须影响"学习金字塔"的四个方面，即智力、情感、行为和精神。

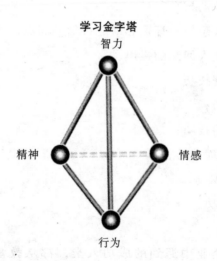

学习金字塔

智力

精神　　　　　　情感

行为

智力教育

传统教育主要关注智力教育，传授阅读、写作、算术等技巧，也被称为认知技巧，它们当然都非常重要。我之所以不大喜欢传统教育，就是非常怀疑它能否真正影响人们的情感、行为和精神教育。

情感教育

我对于传统教育的不满之一，就是它放大了人们的畏惧情绪。具体说来，就是对出错的畏惧，这直接导致了人们对失败的畏惧。传统学校的老师不是激发学生们的学习热情，而是利用他们对失败的畏惧，对他们说出诸如此类的话："如果你在学校没有取得好成绩，将来就不会找到一份高薪的工作。"

另外，我当年在校期间，常常由于出错而受到惩罚，因而我从情感上变得害怕出错。问题是，在现实世界中，出类拔萃的人往往就是那些犯了很多错误，并且从中吸取到很多教训的人。

我的穷爸爸身为学校老师，他认为犯错是人生的败笔。与之相反，富爸爸则认为："犯错是我们进步的必由之路，正是因为我们反反复复地摔倒，反反复复地爬起来，我们才学会了骑自行车。当然，犯错而没有从中吸取教训是一件非常糟糕的事情。"

后来，富爸爸又解释说："这么多人犯错后撒谎，就是因为他们从情感上害怕承认自己犯错，结果他们白白浪费了一个很好的使自己提高的机会。犯错之后，勇于承认它，而不是推托到别人身上，不是证明自己有理或者寻找各种借口，这才是我们进步的正确途径。犯错之后，不愿意承认或者推托到别人身上，实在是一种莫大的罪过。"几年前，美国的一位总统曾经在白宫发生婚外性关系。在我看来，比这个事件本身还要严重的，就是这位总统在事后接受调查时撒谎。撒谎不仅是人格软弱的表现，也浪费了一次从错误中吸取教训的机会。

在传统商业领域，讳疾忌医、不愿意承认错误的态度非常盛行。如果你犯错，常常就会被解雇，或者受到惩罚。在直销领域，人们鼓励你通过犯错、改正而学习，进而在智力和情感上变得更加出色。当年我刚刚开始在公司学习销售的时候，业绩不佳的销售员常常会被公司解雇。也就是说，我们生活在一个畏惧失败的世界里，而不是一个积极学习、接受教训的世界中。因此，无数供职于各类公司的职员依然是一只"蛹"，永远等不到化蛹成蝶的那一天。是的，一个人如果终日生活在被畏惧、失败紧紧包裹的"茧"里面，怎么可能去翩然飞翔？

在直销领域，领导者关注的是与那些业绩欠佳的人一起合作，鼓励他们进步，而不是轻率地解雇他们。事实上，如果因为摔倒而受到惩罚，你可能就永远学不会骑自行车。

我在财务上比很多人成功，并不是因为我比他们聪明，而是因为我比他们经历了更多的失败。也就是说，我之所以能够领先，是因为曾经犯过更多错误。在直销领域，人们鼓励你犯错、改正并从中吸取教训。对我来说，那就是改变人生的教育。打消了自己对于犯错的畏难情绪，才有可能开始飞翔。

如果你害怕犯错、害怕失败，我认为拥有良好教育培训计划的直销企业就一定会给你带来莫大好处。我亲眼目睹和体验了建立和恢复个人自信的直销训练计划，一旦你拥有了更多自信，生活就会发生彻底改变。

行为教育

简单说来，害怕犯错的人学不到多少东西，因为他们做得太少。很多人知道，学习是一个智力过程，也是一个行为过程。正如学打网球是一个行为过程那样，阅读和写作也是一个行为过程。如果你习惯于掌握所有正确答案，从来不犯错，你接受教育的机会就要大打折扣。假如你知道所有答案，害怕尝试任何新事物，那你怎么才能取得进步呢？

我考察过的直销企业都鼓励行为学习，就像他们鼓励智力学习那样。他们鼓励大家直面自己内心的畏难情绪，通过行动、犯错、吸取教训，让自己的智力、情感和行为都变得更加强大起来。

传统教育鼓励大家通过事实学习，教人害怕犯错，这种畏惧情绪阻止你采取进一步行动。生活在畏惧的环境中，对于人们的健康、智力、情感、行为或者财务状况，都是极其不利的。正如我在前面所讲，我拥有更多财富并不是因为比大家更聪明，而是因为我犯过更多的错误，勇敢地承认错误，并且从这些错误中认真地吸取教训。后来，我又犯过更多错误，甚至希望将来还犯更多错误，然而，绝大多数人却竭尽所能避免将来犯错误。也正由于此，我们的未来才迥然不同。如果你不愿意尝试新事物，不愿意冒犯错的风险，并且从错误中吸取教训，未来就不会有多大改观。

可以说，最优秀的直销公司往往鼓励人们学习新思想、积极行动、直面过错、吸取教训、反复摸索，这完全是一种切合实际的教育。

如果你害怕犯错，却又明白自己的生活的确需要某些改变，那么，一个出色的直销计划可能就是你最佳的个人长期发展计划。优秀的直销公司将手把手教你走上无所畏惧的人生，当然，如果你不愿让直销公司手把手教自己，他们也会马上松手。

曾经有人说过，如果你想改变一个人，那就设法改变他的思考方式。近年来，更多人则赞同另外一种观点：如果你想改变一个人的思考方式，首先就要设法改变他的行为。直销企业最伟大的一点，莫过于它非常关注你自己的思想和行为。

传统教育体制存在的问题是，它们惩罚你的错误，而不是设法纠正你的错误。

精神教育

首先，我认为在分析这个常常备受关注、带有强烈感情色彩的话题之前，有必要解释一下我个人的观点。我使用"精神"，而没有使用"宗教"一词，是有特定原因的。正如直销企业也有好坏之分，在我看来，宗教组织也有好坏之分。而且，我曾经亲眼目睹一些宗教组织提升了人们的精神，而另外一些宗教组织则弱化了人们的精神。

因此，当我提到精神教育的时候，它可能包括宗教教育，也可能不包括。我提到精神教育的时候，与任何宗教教派毫无关系。涉及宗教问题的时候，我赞同美国宪法规定的精神，它赋予了人们自由选择宗教信仰的权利。

我之所以对于宗教话题一直小心翼翼，是因为小时候我就经常听到有人提醒："永远不要讨论宗教、政治、性和金钱等话题！"另外，我赞同这句提醒，因为这些话题本身很容易发生变化，很容易带有强烈的情感色彩。实际上，我不仅无意冒犯大家的个人情感或者信仰，而且还支持大家拥有上述权利。

超越人性的弱点

我谈到个人精神的时候，其实就是在讨论促使我们超越个人智力、情感和行为弱点的力量。正是上述弱点，决定了我们的人生状况。

越战期间，我亲眼看到有些受了重伤的年轻战士明知自己即将死去，却仍然坚持战斗，以便让其他人能够活下来。我的一位飞行学校的同学，长期在前线作战，他讲得最为准确："今天我之所以还活着，就是因为那些已经死去的人们在离去之前坚持战斗。"接着，他又说道："曾经有两次战斗，我是惟一的幸存者。当你意识到正是由于战友们献出了自己的生命，你才得以幸存下来的时候，你的人生肯定就会发生彻底改变。"

战斗开始的前一天晚上，我常常静坐在航空母舰前面，任海风从身边轻轻吹过。在那长时间的沉默中，我尽力让自己的心灵平静下来。我意识到，第二天早晨，我就要再次面对死亡的威胁。在一个漫长而孤独的夜晚，我意识到第二天死去非常容易，而在很多时候，活下来要比死去困难得多。一旦平静地面对生与死，我就能够从容地选择怎样度过第二天的生活。具体说来，那就是我到底是带着信心，还是带着恐惧开始飞行？一旦作出选择，我就有了勇气度过第二天，不论结果如何，尽我所能执行飞行和战斗任务。

战争是一件非常恐怖的事情，它迫使人们对敌方做出很恐怖的事情。然而，即便在战争中，我仍然看到了人性中最美好的东西，感到人性的力量远远超过了人性的弱点。而且，我们每个人都具有那种人性的力量，当然你也不例外。

幸运的是，大家不必亲历战争来见证这种人性的力量。有一次，在观看青年男女参加的田径运动会时，同样的人性力量深深地打动了我。当我看到一些失去腿、借助义肢跑步的年轻人，全身心投入到跑步中时，他们的精神深深地打动了我。当我看到一位仅有一条腿的年轻姑娘奋力奔跑的场面时，禁不住热泪盈眶。我能看到她脸上的痛苦，但是这种身体的痛苦抵挡不住她精神的力量。虽然她后来并没有赢得比赛，却赢得了我的心。她触动了我的灵魂，让我想起了自己已经淡忘好久的一些东西。那一刻，我意识到这些年轻人不仅是为他们自己比赛，也是为我们所有人比赛。

不少影片常常也让我们回想起人类精神的力量，《勇敢的心》中有一个场面：梅尔·吉布森面前是一群卑微的苏格兰农夫，这些农夫被强大的英国军队吓得有些不知所措了，但是，梅尔·吉布森向他们发自肺腑地咆哮："他们可以消灭我们的肉体，却无法剥夺我们的自由！"那个时候，他是从人类精神、灵魂的角度对苏格兰农夫讲话。通过打动大家的精神，他改变了农夫们由于缺乏训练、武器装备太差而引起的内心恐惧和疑虑，激发了他们继续战斗的勇气，结果战胜了当时世界上最强大的英国军队。

我已经注意到，直销领域成功的领导者往往都具有激发人类精神的能力。能够触动跟随者内心中的伟大之处，激发他们奋勇向前，超越人性弱点，超越自身的怀疑和恐惧。这就是改变人生的教育的巨大力量。

富爸爸常常对我说（尤其在我没有钱、缺乏自信或者不知所措的时候）："我们大家内心都有三个方面，即富人、穷人和中产阶层，到底是以何种结果出现，完全取决于我们自身。商业和投资领域充斥着两种情感，即贪婪和恐惧。大多数人没有成为富人，不是因为贪婪，而是因为恐惧。如果你想致富，就需要克服自己内心的恐惧，大胆尝试。"在我看来，克服恐惧的最佳途径就是回过头去激发自己的精神，而这也正是很多直销公司的做法。

"教育"一词的本意是"教导、引导"，传统教育存在的问题之一，就是它们往往建立在畏惧的基础上，畏惧失败，而不是积极应对挑战，从自身错误中吸取教训。在我看来，现行的传统教育只能"引导"出我们内心中产阶层的一面，让人们感到不大安全，需要找一份工作，拥有一份稳定的薪水，整日生活在对犯错的恐惧之中，总是担心如果自己与众不同就会招来周围人的各种揣测。我支持大多数直销企业，原因就在于，我发现直销企业可以"引导"出我们内心富人的一面。我非常推崇这种改变人生的教育。

顺便说一下，《福布斯》杂志将"富人"定义为年收入达到或超过 100 万美元的人，将"穷人"定义为年收入不足 25 000 美元的人。我们现在提出的问题，不是你今天赚到了多少钱，而是"经过目前的工作锻炼，你将来的年收入能否达到或超过 100 万美元"，如果答案是否定的，那么你也许就要去寻找另外一种更好的教育。

小　结

我失去了自己的第一家公司，也就是尼龙和"维可牢"褡裢公司之后，富爸爸甚至还向我表示祝贺。他说："你只不过付出了几百万美元的学费，你现在所做的一切，都是在为将来成为非常富有的人做准备。"接着，他又指出："很多人永远没有发现自己内心中富人的一面，就是因为穷人们一直认为犯错是很糟糕的事情。"

对我来说，改变人生的教育与传统教育之间的不同价值，表现在两个方面，一是前者强调从错误中吸取教训，而不是单纯惩罚犯错的人，二是前者强调人类精神，而这种精神力量足以帮助人们克服智力、情感和行为能力的任何缺失。

下一个价值

穷爸爸看重工作安稳，富爸爸看重财务自由。在接下来的一章中，我们将要讨论追求工作安稳者与追求财务自由者价值观的不同。这一切都源于他们处于不同的现金流象限，也就是说，大家将会从中发现为什么变换了工作或者职业，却没有带来生活的真正改变。

第5章
核心价值之三——
周围人的影响

"朋友们将会怎么看呢？"在参加一家直销公司主办的培训课程的时候，我常常听到周围人有这样的顾虑。有时候，他们也会产生这样的担心："朋友们一定认为我疯了！"

对于很多人来说，即便商业机会难得，即便他们本人也很想改变自己的财务状况，却仍然存在一个巨大的障碍，那就是他们担心：如果自己开始投身一家直销企业，周围朋友或者家人会怎么看待呢？

一天晚上，有位单身母亲站在30多位来宾面前，介绍了自己在直销中发现的商机。她对大家讲述了丈夫离去后，她一边工作一边独自抚养4个孩子的经历。这位年轻的单身母亲告诉大家，她没有求助于社会福利部门，而是开创了自己的直销事业，如今她每年利用业余时间就能赚到60 000美元，完全可以抚养孩子。她说，直销企业给了自己安全和希望，让自己能够从容地把握生活，更重要的是留给自己更多时间与孩子们在一起。后来，她讲道："还有一点，在未来十多年里，由于业务持续增长，我可能也会成为一名百万富翁。如果我仍然从事自己过去的工作，我就永远不会做到这一点；如果没有直销业中很多人的热诚帮助，我也永远不会做到这一点。"

对她来说，金钱并不是最重要的事情。直销本身给了她莫大的支持，让她再一次对生活充满了梦想和希望。在回答听众提问的时候，她还说："我完全可以支付孩子们上大学的各项费用了，等到我年老体衰的时候，我也不需要他们照管。我永远不会成为他们的包袱和负担，这是一件多么令人轻松、愉快的事情啊！"

活动结束后，我向邀请自己参会的那位朋友表达了谢意。出门后，一位也来参会的年轻的企业经理问我："今晚的演讲怎么样？"

"我觉得非常精彩！"我回答说。

"的确如此，但是她讲得似乎有些太好了，以至于我怀疑她所讲内容的真实性。"他一边从公文包中找车钥匙，一边对我说。

"那你为什么不花一点时间，弄清楚她讲话的真实性呢？"我提议说，"或许你能得到你想要的。"

"不，我不会那样做。如果我告诉同事、朋友，自己打算开始投身直销业，你知道他们会作何反应吗？他们一定会大笑不止，你知道他们都是些什么家伙吗？"他反问道。

我点点头，微微一笑，说道："我知道他们都是些什么人。"随后，我们分头坐上自己的汽车，消失在夜幕里。

最艰难的工作

1976 年，我的尼龙与"维可牢"褡裢钱包公司正式投产。我和两位朋友一边在施乐公司任职，一边利用业余时间从头开始创业。我明白自己可能在施乐公司待不了多长时间了，因为我们创办的公司的业务量迅速攀升，需要我们投入越来越多的时间和精力。我现在依然记得，我当时曾经告诉办公室里的同事，自己打算马上辞掉施乐公司的工作，全身心投入到尼龙与"维可牢"褡裢钱包公司的业务中去。

"你疯了？"一位资深推销员显得非常吃惊，他说，"你们的小公司维持不了多长时间。"

"你知道有多少人想来施乐公司工作吗？"另一位资深推销员说，"你现在拥有一份很好的工作，待遇、福利优厚，升职机会很多。如果你多加努力，有朝一日就有可能成为一名销售经理。你为什么要冒险丢掉这份十分难得的工作呢？"

"你最终还会回来的，"另一位推销员说，"像你这样有想法的人，我已经遇到无数了。很多自命不凡的人离开原来公司，创办了自己的公司，但是不久新公司就倒闭了，他们也不得不夹着尾巴想方设法回到原来供职的公司，如果他们的尾巴还在的话。"

他的话让办公室里的六位男推销员和两位女推销员哄堂大笑，接着，他们又讨论起公司新推出的复印机，然后又谈论起当晚哪家棒球队可能会赢。这个时候，我才明白自己找错了谈话对象，他们只会拖我的后腿，永远不会鼓励我。

数年后的那天晚上，当我听到那位年轻人对我说："不，我不会那样做。如果我告诉同事、朋友，自己打算开始投身直销业，你知道他们会作何反应吗？他们一定会大笑不止，你知道他们都是些什么家伙吗？"我完全理解他的意思。

在我看来，离开原来那份安稳、舒适的工作，创办自己企业时所遇到的最艰难的一件事情，莫过于如何应对朋友、家人和同事的说法和想法。对我来说，这些才是最艰难的工作。

这是现金流象限的改变，而非工作岗位的改变

大家不妨回顾一下，下面这些话你到底听过多少遍？

1. "我真希望能辞掉目前的工作。"

2. "我对换工作已经非常厌倦了。"

3. "我希望自己能够赚到更多钱，但是我无法辞掉目前的工作，因为我还没有实力开办自己的新公司。而且，我不想再回到学校，重新开始学习一门新专业。"

4. "每次加薪，大部分还是用来纳税了。"

5. "我工作非常努力，但是真正变得富有的却只有公司老板。"

6. "我工作非常努力，财务状况却没有多少改善，我得为自己将来的退休金动脑筋了。"

7. "我对新技术和年轻有为的员工非常恐惧，他们都有可能让我自己变成毫无用处的'老古董'。"

8. "我不能再这么辛苦地工作了，因为这已经让我有些未老先衰了。"

9. "我上过培养牙科医生的学校，但是，我却再也不想做一名牙科医生了。"

10. "我想另外做些事情，结识一些新人。我不想再浪费自己的时间，整日与那些满足于现状、不思进取的人混在一起。我不

想花时间与那些只知道埋头干好工作的人待在一起，当然那样的话，他们可以得到老板的青睐，不至于丢掉饭碗。我也不想为那些只付给自己丰厚薪水的公司工作，尽管他们也许认为这样的话，我们就不会轻易辞职。"

现金流象限

在"富爸爸"系列丛书中，《富爸爸财务自由之路》是其中的第 2 本。很多人认为那是我最重要的著作（尤其对于那些准备改变自己生活的人来说），因为这种改变绝非单纯地改变工作那么简单！

下列图表就是富爸爸的现金流象限：

其中，E 代表"雇员"；

S 代表"自由职业者"或者"小企业所有人"；

B 代表"企业所有人"；

I 代表"投资者"。

判断自己处于哪个象限

判断自己处于哪一个象限，方法很简单，那就是看自己的现金流来自于哪一个象限。比方说，如果你的收入来自于自己所从事的一份工作，你定期从别人拥有的企业中得到一笔薪水，那么，你的现金流就来自于 E 象限。如果你从自己的投资中获得一大笔收入，那么你可能就是一位投资者，你也就属于 I 象限。如果你是一位小企业所有人，是一位像医生、律师那样的专业人士，或者像房地产代理商那样依靠佣金生活，那么，你可能就属于 S 象限。另外，如果你拥有一家员工超过 500 人的大企业，你可能就属于 B 象限。

所处象限不同，价值观也就不同

多年前，富爸爸曾经向我解释过各个象限不同的价值观。比如，处于 E 象限的可能是一位看门人，也可能是一位公司经理，但关键是，他们拥有相同的核心价值观，他们的想法和说法也许都如出一辙："我要找一份安稳、待遇好的工作。""我们能得到多少加班费呢？""我们能享受多少带薪假？"也就是说，"安稳"是处于 E 象限的很多人非常关切的核心价值。

S 象限的价值观

对于处于 S 象限的人来说，核心价值就是"独立、自主"。他们向往自由，渴望做自己想做的事情。他们有时会说："我要停下手头的工作，一个人出去走走。"他们往往过去属于 E 象限，现在转到 S 象限来了。

S 象限的人，常常是一些小企业所有人，经营着家庭作坊式的企业，或者是一些专家和顾问。比方说，我有一位朋友，他专门为富人家里安装大屏幕电视、电话系统以及安全系统。他拥有三名员工，也乐意做三名员工的老板。他就是一位名副其实、勤勉努力的 S 象限人。提取佣金的销售人员，比如房地产或保险经纪人，也属于 S 象限。S 象限里也有很多专业人士，比如不属于任何一家大型医院、律师事务所或会计师事务所的医生、律师或会计师。

判断一个人是否属于 S 象限，当然也可以根据他们的言辞。S 象限的人士常常说："如果你想做好某件事情，那就自己动手。""我有最好的产品和服务。"假如要说说他们的口头禅，那可能就是"没有人比我干得更棒"。在 S 象限人们的内心深处，也就是在其表面独立的背后，常常缺乏对别人的信任，他们不相信别人会比自己干得更好。

S 象限人士获取的报酬，往往就是佣金，或者根据自己在该项工作上付出的时间确定收费。比如，S 象限的人可能会说，"我的佣金是购买总价的 6%"，"我每小时收费 100 美元"。

S 象限人是商业领域中的约翰·韦恩式的美国西部牛仔，他们喜欢单打独斗，他们的口头禅是"我想自己干"。

B 象限的价值观

那些白手起家建立了自己 B 象限企业的人，往往是那种有着很强烈的使命感，重视团队工作，并喜欢与尽可能多的朋友一起工作的人。我在本书的前面已经提及到通用电气公司的创始人托马斯·爱迪生，福特汽车公司的创始人亨利·福特，以及微软公司的创始人比尔·盖茨。

S 象限的人希望成为各自领域的佼佼者，B 象限的人则往往寻找该领域的佼佼者加入到自己的团队中来。在"富爸爸"系列丛书的前几本中，我曾经提到亨利·福特的例子，亨利·福特在自己身边聚集了一大批比自己更聪明的人。S 象限的人往往是一个小集体中最聪明的人，比如医生或者咨询师。

让我们再来看看 B 象限人的收入，真正属于 B 象限的人往往在离开自己的企业后，仍然能够得到收入。在多数情况下，如果 S 象限的人停止工作，他们也就不会再有任何收入了。因此，现在你也许要扪心自问："如果我今天停止工作，今后还能继续得到多少收入？"如果你的收入在将来半年甚至更短时间内停止了，那么，你可能就处于 E 象限或 S 象限。处于 B 象限或 I 象限的人，停止工作数年后，可能依然有持续的收入。

I 象限的价值观

I 象限人士追求的价值观就是"财务自由"。投资者喜欢让金钱为自己工作，而不是自己来工作。

投资者的投资对象种类繁多，他们可以投资金币、房地产、企业，也可以投资股票、债券、共同基金等有价证券。

如果你的收入来自公司或政府的退休金计划，而不是自己运用投资知识得到的，那么这些收入其实就等于来自 E 象限。也就是说，你的老板或者企业仍然在为你曾经多年的服务埋单。

投资者的口头禅可能是，"我得到了 20% 的资产收益"，"让我看看该公司的财务报表"等。

不同的象限，不同的投资者

在当今世界，我们大家都需要成为一名投资者。然而，我们的学校教育体制不能向大家传授多少有关投资的知识。尽管我也听说一些学校讲授有关选择股票的知识，但是，在我看来，这并不是真正意义上的投资。对我来说，挑选股票就像一场赌博，并不是真正意义上的投资。

多年前，富爸爸告诉我，很多雇员投资了共同基金或者储蓄。他曾经说过："医生往往是最糟糕的投资者。在某个象限取得过成功，比如在 E 象限或 S 象限取得过成功，并不意味着你将来会在 I 象限也能取得成功。"

富爸爸指出，各个象限的人投资方式也大为不同。比如，处于 S 象限的人可能会说："我不会投资房地产，因为我受不了修理洗手间的麻烦。"处于 B 象限的人对同样的问题则可能说："我想请一家房产管理公司来修理我所投资的房产的洗手间。"也就是说，一位 S 象限的投资者可能会认为，将来自己要负责房产维修，而 B 象限的投资者则可能聘请另外一家房产管理公司，替自己处理房产的维修问题。人不同，观念也就不同。处于不同象限的人，价值观也各不相同。

如果想进一步了解各个象限人们的区别，建议大家不妨参阅"富爸爸"系列图书第 2 册——《富爸爸财务自由之路》。正如我在前面曾经提到的，很多人认为，对于准备改变自己人生的人们来说，《富爸爸财务自由之路》是最重要的一本书。

直销企业是属于 B 象限的企业

我们说，直销企业是为一些进入 B 象限的人们准备的，为什么呢？答案是，直销业体系是为超过 500 人的群体设计的。而且，从理论上说，直销企业的收入潜力无限，相反，处于 E 象限和 S 象限人的收入常常是有限的，它完全取决于你作为个人的产出。在直销企业中，你可以依靠网络来赚钱。如果你建立起了一个庞大的网络，就能赚到很大一笔钱。

等到你建立了一个庞大的网络系统，接下来的一步就是争取实现从 B 象限转入到 I 象限。至少富爸爸鼓励我那样做，我也真的做到了。当初嘲弄我辞掉施乐公司工作并创办自己公司的同事，如今仍然不过是施乐公司的推销员。他们从来没有改变自己的思想，从来没有改变自己的核心价值观，因而也从来没有改变自己所处的象限。现在，我听说他们中一些人正在为可能失去工作忧心忡忡，个别人甚至连准备退休金的钱也没有。其实，那也就是说，他们在 E 象限和 S 象限耗费了人生太多的时间。

长大成人后，你想成为哪个象限的人？

小时候，穷爸爸常常对我说："好好上学，争取好成绩，这样你将来就能找到一份安稳的工作。"显然，他为我规划的是走 E 象限人的路子。

妈妈常常对我说："如果你将来想成为一位富人，就应该去做一名医生或者律师。这样的话，你就永远不会求助于别人。"她为我规划的是走 S 象限人的路子。

与此同时，富爸爸对我说："如果你将来想做一位富人，就应该准备建立自己的企业。"富爸爸鼓励我学习做一名企业所有人和投资者。

等到我从越南战场归来后，我不得不作出决定：到底按照哪个人的建议去做？大家不妨先看看下列的现金流象限图表：

我必须问自己这样一个问题："在哪一个象限中,我取得商业成功的几率最大?"我不想成为终生劳碌、奔波的雇员,也不想重新回到校园,将来做一名属于S象限的医生或律师。我知道对自己来说,获得商业成功的最好路子就是争取做一名属于B象限和I象限的人。因为我想成为一名百万富翁,而且不想为了赚到这些钱而循规蹈矩、终生辛劳。现在,我已经不必为了赚百万美元而去工作,更不必非常辛苦地工作。我工作得越来越少,赚到的钱却越来越多,因为我利用了网络的力量。

现在,该轮到大家仔细看看这张现金流图表了。你也许需要问问自己:"哪一个象限最适合自己?"

很多人一辈子勤勉努力,却没有取得财务成功,其中一个原因可能就是他们没有改变自己所属的象限,而仅仅是简单地变换工作。因而,我们常常听说某人频繁变换工作,或听到有人欣喜地说:"我终于找到了很棒的工作!"然而,即便他们找到了很棒的工作,他们的人生也不会有多大改观,因为他们没有改变自己所属的象限。

所属象限的改变,意味着价值观和朋友圈的改变

直销企业的优势之一,就是它们汇聚了一大批陌生人,其中有些将来可能会成为你最好的朋友。对我来说,当初离开施乐公司时面临的最困难的事情,就是我的大多数朋友和家人都属于E象限。他们的价值观与我截然不同,他们追求安稳的工作和薪水,而我更看重能否实现财务独立和自由。

如果你想改变自己所属的象限,打算投身直销企业,可能比我更有优势些。至少,直销企业可以为你提供一大群志趣相投、拥有B象限核心价值观的朋友,帮助你更快转型到B象限。现在

回想起来，我当初之所以能够顺利实现转型，主要得益于富爸爸及其儿子的鼓励。那个时候，其他人几乎都认为我疯了，或许我也的确有点发疯。但是，如果仅仅因为自己需要一份稳定、可靠的工作和薪水，并不足以让我继续留在施乐公司。

当时那些继续留在施乐公司的朋友，还是我很要好的朋友。将来也依然如此，因为在我人生的转折点上，他们的确想帮助我。不过，我还是选择了离开，选择了继续往前走。如果你有机会往前走，而你本人又很向往 B 象限，也许就应该投身直销企业，开始结识一些新朋友。

你的朋友们都处在哪个象限

今天，四个象限中都有我的朋友。但是，我最要好的朋友都处在 B 象限和 I 象限。与人交往的时候，我非常在意他们的价值观及其所处象限。我发现，在我与 E 象限的人谈论企业或投资话题的时候，他们似乎都难以理解，有时候甚至感到很可怕。比如，如果我对 E 象限的人说："我喜欢开办自己的企业。"他们的反应往往如出一辙："那不是有些太冒险了吗？"现在想起来，这主要是因为我们的核心价值观不同。让别人感到可怕总不是一件好事情，因此，在与 E 象限和 S 象限的人见面时，我多数时候聊的话题都是关于天气、体育比赛或者新近上演的电视节目等。

很多已经投身直销企业的人，不少都运用富爸爸的现金流象限分析自己的商业活动。他们常常也会画出下列图表：

接着，他们会向那些对他创办的直销企业感兴趣的人解释、介绍自己独特的核心价值观。据说，他们很多人都通过运用这个图表，让那些潜在的新企业主感到更容易理解，也感到精神备受鼓舞。由此，这些潜在的新企业主开始慢慢地改变自身的核心价值观，并走进商学院学习怎样做一名企业主，而不是一名雇员。

虽然并非你所有的听众都要创办自己的企业，但是，仍然有很多人会对你深怀感激，因为你运用了富爸爸的象限理论，讲授核心价值观，帮助他们整理思路，而不是一味要求他们创办自己的企业。如果大家花些时间仔细分析各个象限，权衡各自的利弊得失，可能就会懂得从一个象限到另外一个象限的转变，绝非思想转变那么简单，它实际上是核心价值观的转变，而核心价值观的转变往往都需要相当长的一段时间。

> **"从一个象限到另外一个象限的转变，实际上就是一种核心价值观的转变。"**

我认为很难向大家解释直销的原因之一，就是现在只有为数很少的一部分人在 B 象限取得了成功。由于深受学校和家庭旧有价值观的影响，绝大多数人都处在 E 象限或 S 象限。实际上，我估计大约有 80% 的人都处在 E 象限或 S 象限，同时大约有 15% 的人处在 I 象限，只有不足 5% 的人真正处在 B 象限。也就是说，在我们生活的星球上，像托马斯·爱迪生、比尔·盖茨那样的杰出人物实在是少之又少。很多著名的 CEO 也都处在 E 象限，而不是处在 B 象限。比如，曾经风光无限的通用电气公司 CEO 杰克·韦尔奇，实际上也不过是通用电气公司的一名高级雇员而已。我们承认杰克·韦尔奇是一位卓越的领导者，但是，通用电气公司的创立者、老板却是那位曾经辍学的托马斯·爱迪生。爱迪生拥有超人的远见，他白手起家，创办了通用电气公司，并且将它发展成为一家巨型跨国企业。

我还想再说一遍，只有为数极少的人最终真正成为 B 象限的领导者。因此，当一家直销企业的领导者向大家讲述新商机时，他们往往并不清楚这个商机到底有多大。长期身处 E 象限和 S 象限的人，想像力受到了极大的限制，他们根本认识不到这么大的商机。说起来非常幸运，正是由于富爸爸早年的教诲拓展了我的思路，才让我能够懂得 B 象限企业的力量。因此，我只做了 4 年公司雇员，就选择了走自己的路。我不想在成年后做一名 E 象限或 S 象限的人，我明白自己渴望将来生活在 B 象限和 I 象限。

如果你打算创办一家直销企业，并且准备告诉自己周围的朋友，那我建议你向他们解释一下富爸爸提出的"现金流象限"这个概念，解释一下你改变自己所属象限的缘由。如果这样做了，肯定会比简单地说一句"我要办一个业余的直销公司"效果好得多，肯定会获得更多的支持。正如我在前面所说，直销企业之所以很难让人们理解、接受，原因就在于结识 B 象限人的人为数不多，绝大多数人的亲朋好友都处在 E 象限或 S 象限。另外，如果你有耐心，现身说法，向他们讲述自己观念转变的经历，他们或许也会加入到你的行列中来。要让他们懂得，观念转变是一个过程，也许要耗费数年时间，并不是一个快速致富计划。如果你打算认真考虑，那我还要向大家推荐一份"五年规划"。

五年规划

常常有人问我："为什么需要一份五年规划呢？"好了，请让我细细说来。

理由1 星巴克咖啡连锁公司的创立经过了数年时间，麦当劳公司的创立经过了数年时间，索尼公司成为世界电子巨头也经历了数年时间。也就是说，大型公司或卓越的领导者都需要经过数年时间的努力。然而，很多人并没有想到成就一番事业需要数年努力，他们以为能够马上如愿以偿，能够快速致富，这大概也是 B 象限的人如此之少的原因之一。很多人希望赚钱，但又不愿意投入更多时间。

正如我在前面一再强调的，学习是一个行为的过程，而行为学习有时候比智力学习需要花费更多时间。比如，你也许决定要学骑自行车，但是真正的学习过程也许要比头脑中作出决定花费更多时间。当然，这样的好处是，一旦你真正学习了，通常也就会永远掌握某种知识和技能。

理由2 另一方面，忘却同样也是一个行为过程。曾经有一个稍嫌粗鲁的说法："你不能教给老狗新东西。"还好，我们是人，而不是狗。不过，上述说法仍然有一定道理，有时候，我们很难忘却多年来学到的东西。这么多人之所以乐于处在 E 象限和 S 象限，原因就是感觉在那里更舒适、安稳一些。毕竟，他们多年来一直学习的是怎样在 E 象限和 S 象限之中生活。很多人最终待在 E 象限和 S 象限，因为他们认为那里更舒适，尽管这种暂时舒适最终并没有给自己带来什么好处。

另外，应该花些时间学习一些新东西，同时设法忘却一些老东西。对于一些人来说，从象限左侧转换到象限右侧最难的事情莫过于忘却 E 象限和 S 象限的原有观念。一旦忘却了自己曾经学过的某些东西，我想这种转换就会大大加速。

理由 3　化蛹成蝶，中间必须经历"结茧"这个环节。我曾经作为大学毕业生进入飞行学校，离开飞行学校时，我已经成为了一名准备赶赴越南战场的飞行员。假如我当初进入民航飞行学校，尽管结业时我也是一名飞行员，但是我很怀疑自己是否会准备参战。军队飞行员与民航飞行员所学的东西大相径庭，飞行技巧不同，训练强度不同，结果——最终是否参战自然也不同。

我花了近两年时间在佛罗里达州上完初级飞行学校，获得了飞行章，这意味着我已经是一名飞行员了。接着，我又进入位于加利福尼亚州的彭德尔顿营海军陆战队基地，接受高级飞行训练。在那里，我们学习搏斗要比飞行还多。我不想啰里啰唆地向大家讲述这些细节，但是，在彭德尔顿营海军陆战队基地，我们的训练强度明显加大了。

等到我们结束了飞行学校的训练、成为一名飞行员后，我们还用了整整 1 年时间为奔赴越南战场作准备。我们经常飞行，检验自己智力、情感、行为和精神适应各种飞行环境的情况。在这里，仍然存在"学习金字塔"中的所有四个方面。

经过了彭德尔顿营海军陆战队基地大约为期 8 个月的训练之后，我的内心发生了不少变化。在一次飞行训练中，我终于成为了一名准备参战的飞行员。此前，我一直进行着智力、情感和行为上的飞行。在其中一次训练中，我精神上发生了改变。训练任务重得令人害怕，忽然之间，我的所有怀疑和恐惧都被抛到了九霄云外，而精神的力量控制了一切。飞行已经变成了我自己不可分割的一部分，我在机舱内感到非常平静、放松。我准备要赶赴越南参战了。

那也并不是说，我心中已经没有了一丝恐惧。实际上，我仍然害怕参战，害怕死亡，害怕情况更糟——受伤残疾。区别在于，我当时准备参战，自己的信心战胜了恐惧和担心。需要补充的一点是，与此非常相近的改变人生的教育在很多直销企业中都可以遇到。

我成为一名企业主和投资者的过程，与自己当年成为一名准备参战的飞行员的经历也非常相近。在忽然发现自身的精神，即大家常常所说的"企业家精神"前，我也曾经在企业界经历过两次失败。正是这种企业家精神，促使我一直处在 B 象限和 I 象限，无论经历了多少磨难。我一直坚守在 B 象限和 I 象限，而不愿意退回到安稳舒适的 E 象限和 S 象限。可以说，我整整用去了15 年时间，才获得了很快乐、很舒适地坚守在 B 象限和 I 象限的自信。

我本人还在执行五年规划

当我决定学习某些新东西时，比方说房地产投资时，我仍然要给自己五年时间去学习整个房地产投资。当我决定学习股票投资时，我同样给自己五年学习时间。很多人投资一次，赔了一点钱，便马上收兵，洗手不干。他们在自己第一次犯错时就裹足不前，结果没有学到任何东西。富爸爸曾说："真正的赢家懂得，输是赢的整个过程中的一环，只有输家才会认为赢家从来不会输。输家就是那些梦想成功，却时时不愿犯错的人。"

今天，我依然给自己五年时间，尽可能多犯错。因为我明白，犯错越多，从中学到的东西也就越多，五年后的自己将会更加聪慧。如果我不犯任何错误，五年后也不会比今天聪明多少，只是年龄增加五岁而已。

我在 B 象限和 I 象限的学习历程仍然没有结束

时至今日，我本人已经在 B 象限和 I 象限度过了好多年，仍然感到有很多东西值得自己努力学习和掌握。也许，我的余生还要在这种学习中度过。这样做带来的直接好处是，我学到的东西越多，就越能少做事多赚钱。如果你或者周围的朋友们以为，自己能够开始创办一家直销企业，而且可以马上赚钱，那你们显然还是像 E 象限和 S 象限的人那样思考问题，位于 E 象限和 S 象限的人特别热衷于各类快速致富计划和传说。如果真的打算开始自己的致富旅程，我建议你至少要用五年时间学习、提高自己，改变个人核心价值观，结识新朋友。在我看来，这些转变要比多赚几美元重要得多。

小　结

总而言之，直销企业的优势不仅仅是能够提供良好的商业教育，而且往往能提供一个全新的朋友圈，这些朋友与你自己目标一致，拥有共同的价值观。在我看来，这种友谊无比珍贵。如果我当初没有遇到那么多好朋友，肯定也不会完成这些历程。

此外，如果大家在分析周围事物时运用现金流象限，如果大家认可富爸爸关于金钱、商业和生活领域中四类人的理论，那我将非常感激。多年前，富爸爸的现金流象限理论向我展示了穷爸爸未曾注意到的世界，今天，我衷心希望现金流象限理论也能为各位的人生带来新的改变。

你本人、朋友和家人都处在哪个现金流象限

在阅读下一章之前，你也许想花一点时间评估一下你周围的人及其所属的现金流象限。

人物	现金流象限（E、S、B 或 I）
父亲	_____
母亲	_____
配偶	_____
兄弟（列出他们的名字）	
_____	_____
_____	_____
姐妹（列出她们的名字）	
_____	_____
_____	_____
朋友（列出名字）	
_____	_____
_____	_____
_____	_____
_____	_____

你本人现在属于哪个象限？你希望将来属于哪个象限？

	E	S	B	I
现在所属象限				
将来所属象限				

你改变自己所属现金流象限的计划是什么？你打算怎样得到新的教育和经验，怎样改变自己的核心价值观？

_____

_____

_____

_____

_____

下一个价值

接下来的一章，我们将要介绍建立一个企业主的朋友网络的价值。

第6章
核心价值之四——
人际网络的价值

　　1974年，我任职于夏威夷的施乐公司。当时，我在推销施乐传真机时遇到了很大困难。因为传真机属于新产品，人们对它缺乏了解，他们常常反问我："嗯，传真机的确不错，但是，还有谁拥有它呢？"也就是说，他们担心，如果别人没有传真机，无法与别人的传真机形成网络，独自拥有一台传真机就毫无意义。今天，传真机已经变得非常普及。

　　随着越来越多的人开始使用这些新型传真机，传真机的价值大大提升，销售也变得越来越容易了。我曾经在4年里非常吃力地推销这种新型传真机，花费了大量时间向人们解释这种机器的原理和用途。现在，企业甚至很多家庭都在使用传真机，厂家的推销人员根本不用费尽口舌解释传真机的优点，客户们购买时也只是选择自己所要的传真机型号。销售人员除了简单讲解该型号传真机的使用说明之外，也不必再做其他任何解释工作。由此可见，只有在形成一个庞大网络后，传真机的价值才会大大提升。

因而，本章将要重点讨论网络的价值和力量。

梅特卡夫法则

人们一般认为，罗伯特·梅特卡夫是以太网[①]的发明者之一。近年来，他还创办了著名的高科技公司——3Com 公司。所谓的梅特卡夫法则，具体内容是：

$$一个网络的经济价值 = 用户数量^2$$

简单说来，可以这样理解梅特卡夫法则：

如果只有 1 部电话，那么这部电话实际上就没有任何经济价值；如果有 2 部电话，根据梅特卡夫法则，电话网络的经济价值等于电话数量的平方，也就是从 0 上升到 2 的平方，即等于 4；如果再增加 1 部电话，那么，这个电话网络的经济价值就上升到 3 的平方，即等于 9。也就是说，一个网络的经济价值是按照指数级上升的，而不是按照算术级上升的。

> **"一个网络的经济价值是按照指数级上升的，而不是按照算术级上升的。"**

约翰·韦恩式的商人

在我父亲生活的那个时代，约翰·韦恩是成功的典范。他被描绘成无须别人协作和帮助，就能够独立完成所有工作的形象。处理与女性的关系时，他运用了"自己的地狱，别人的天堂"模式。当时的电视节目，比如《留给比弗》（Leave It To Beaver），

[①] 一种由美国 Xerox 公司、DEC 公司和 Intel 公司开发的局域数据通信网。——编者注

讲述沃德·克利弗（比弗的父亲）外出工作，而琼·克利弗（比弗的母亲）待在家里，她是一位尽职尽责的妻子，整日做饭、洗衣，等待骑士般风光的丈夫带着薪水回家。

自从 20 世纪 50 年代那些电影、电视播映以来，整个世界已经发生了巨大变化，但是，很多旧有的商业思想依然根深蒂固，挥之不去。今天，我仍然常常听到有人说："我打算独自创办个人的企业。"在我看来，"独自创办个人的企业"的想法完全是约翰·韦恩式的商业思想。我曾经讲过，很多人在说他们打算"独自创办个人的企业"的时候，往往就是从 E 象限转入 S 象限，而不是转入 B 象限。如今，S 象限会聚了很多艰难打拼的人们，会聚了很多约翰·韦恩式的企业所有人。

特许经营本身就是一个网络

20 世纪 50 年代，一种新型商业模式出现了，这就是特许经营。著名的特许经营企业有麦当劳、温迪屋（Wendy's）等，特许经营如今已经被人们普遍接受了。然而，在 50 年代它刚刚出现的时候，很多思想守旧的人们，很多具有约翰·韦恩式商业思想的人，都纷纷抨击特许经营模式，甚至叫嚷它是非法的。现在，无论走到世界上任何地方，比如北京、南非，甚至是非常遥远的国度，我们都可以看到像麦当劳那样著名的特许经营企业，人们已经喜欢上了特许经营。

简单地讲，特许经营就是一个企业网络，一个由很多企业所有者组成的庞大企业网络。大家现在都明白，一位类似麦当劳的特许经营企业所有者要比那些创办自己的汉堡包品牌的人强大得多。如果他们处于相邻位置，展开竞争，即便约翰·韦恩式的商人能做出更好吃的汉堡包，估计也会很快倒闭。

如同任何新办企业那样，一家特许经营企业在拥有很多加盟企业之前，实际上并没有多少价值。我依然记得，当初见到第一家 MBE 公司(Mail Boxes Etc)时，对它的前景非常担心。结果，随着特许经营店的加盟，该公司忽然之间取得了突飞猛进的发展。同样的一幕发生在星巴克公司身上。多年前，我初次听说这家创办于西雅图、名称有趣的小咖啡公司。现在，星巴克咖啡店已经随处可见。在美国纽约，几乎每个街头角落都有星巴克咖啡店。但是，这种令人难以置信的增长主要是通过公司本身拥有的连锁店取得的，而不是通过特许经营实现的，这是梅特卡夫法则的另外一个例子。

在我居住的社区，当 MBE 公司特许经营店在购物中心开张后，原来有一家开办了好多年的包裹邮寄店很快就倒闭了。同样的情形发生在小咖啡店主身上，他们很快就在与星巴克的竞争中败下阵来，即便他们拥有更好的咖啡。可以说，苦苦打拼的个人再次输给了网络经营者。

第二类网络企业

20 世纪 70 年代，一种新型的网络企业开始出现。这种企业正是本书要着重讨论的直销企业。它不是特许经营的企业网络，而是特许经营的个人网络。也就是说，它是一种个人特许经营。这种新型直销企业的首次亮相也招来了很多批评，后来却有数百万人陆续投身其中。如今，这种企业仍然备受争议，尽管如此，直销业的发展速度还是远远超过了特许经营业或其他传统行业。

很多人之所以没有看到直销业的飞速发展，原因之一是在绝大多数情况下，直销本身是一种看不见的商业活动。与那些有着醒目标志的企业(如麦当劳或者星巴克)不同，很多直销特许经营企业就开设在个人家里，或者非常狭小、很不起眼的办公室里。不过，可别小瞧它们，很多成功的直销特许经营企业，赚钱远远多于普通特许经营企业。

直销企业蕴藏着无限商机

在本书的开始，我曾经列举了直销企业可以提供的很多产品或服务，其中包括法律服务、电话服务、化妆品、维生素、服装甚至房地产等很多种类。更让我吃惊，也让我大开眼界的是，一些大公司包括花旗银行、美国在线—时代华纳公司、伯克希尔·哈撒韦公司都开设了直销服务。一旦打开自己的思维，我就意识到只会从外行那里听到对直销的各种非议。直销实际上是一种无形的虚拟式企业，这也意味着我们看不到这种行业的发展和成长。我们只会听到来自旧有商业模式的人们，或者约翰·韦恩式的人们的各种抱怨和牢骚。直销业之所以能够持续发展，原因就在于梅特卡夫法则所蕴藏的巨大力量。

运用梅特卡夫法则的力量

直销的显著特色在于，像你我这样的普通人都可以得到它。不过，大家必须遵循梅特卡夫法则。如果遵循梅特卡夫法则，投身直销公司就是一个良好的开端，但是，单单这样做并不意味着你一定能够运用梅特卡夫法则的力量。这就好像你买了一部电话机，周围却只有你一个人拥有电话机。

> **"大家的任务就是模仿或者重复像自己一样的人的工作。"**

　　为了运用梅特卡夫法则的力量，大家的任务就是模仿或者重复像自己一样的人的工作。等到有了 2 个人，网络的经济价值就是 2 的平方，也就是从当初的 0 上升到了 4；如果有了 3 个人，网络的经济价值就从 4 上升到了 9；如果你发展的 2 个人各自发展 2 人，你们网络的经济价值就有了突飞猛进的发展。这里需要强调的是，网络经济价值的增长并不按算术级增长得那样缓慢，而是按照指数级增长。这就是网络企业的巨大价值和潜力。

　　随着时间的推移，成功的直销企业所有者就可能比很多专业人士，比如医生、律师、会计师以及其他辛苦打拼的人们赚到更多的钱。造成这种不同的根源，或者说成功的直销企业所有者更加富有的缘由，归根结底在于梅特卡夫法则。

　　在前面一章中，我们讨论了结识新朋友的意义。假如你愿意花一点时间，向他们解释现金流象限，询问他们愿意处在哪个象限，并向他们介绍梅特卡夫法则的力量，我相信你一定能够找到一位对你自己现在带来的商机非常感兴趣的人。你也可以向他们介绍说，直销是当今世界发展最迅速的商业模式，尽管因为直销企业是无形的，未能充分引起人们的注意。

　　创建一家直销企业，其实就是寻找与你自己在理财观念上志同道合的新老朋友。比方说你的网络中有 10 个人，那么，你们网络的经济价值现在就是 100，而不是 10。如果这 10 位各自介绍 10 位朋友投身直销，你们直销网络的价值就会大大提升。我在前面曾经说过，我本人在 20 世纪 70 年代初期刚刚接触直销业的时候，思想上并没有立即接受。我当时观念守旧，思想保守，熟视无睹，因此并没有意识到自己面前的巨大商机。直至今天，我才看到了直销业的潜力。如果一切都可以重来一遍，我肯定不会创建传统的企业，我肯定会致力于建立一家直销企业。

"门槛"很低的好创意

可惜，我当初没有建立直销企业，而是花费数百万美元，有时候甚至赔掉数百万美元，去建立老式的企业。虽然我对于自己走过的路子并不后悔（这些历练让我懂得了如何从头开始创办一家传统企业），但是，我现在还是要真诚地对大家说，对于绝大多数人来说，创办一家直销企业可能更有意义，尤其当你没有数百万美元资本建立一家传统企业或者购买一家著名公司特许经营权的时候。简单说来，进入成本较低，又有良好培训计划的直销企业，实在是一个很好的创意。直销业兴起的时代已经来临，并且在世界范围内得到了蓬勃发展。大家只需开放自己的思维，就能发现这一点。当然，你也许不能用眼睛看到，因为直销企业往往是虚拟的。它们没有金碧辉煌、宏伟壮观的建筑，也没有碧绿的草坪吸引大家。因而，尽管直销业在世界范围内得到了很大发展，却很少有人注意到这一点。

直销业的未来

虽然直销业已经取得了很大发展，不过，现在仍然是投身直销业的好时候。为什么这样说呢？因为世界各地的人们终于发现，工业时代已经结束，我们正在步入信息化时代。大型企业如通用电气公司、福特汽车公司等，都是工业时代的产物。特许经营企业如麦当劳公司等，都是处在工业时代向信息化时代转型期的企业。直销企业才真正是信息化时代的特许经营企业，原因非常简单——很多直销企业几乎主要依赖信息进行运作，而不是凭借土地、工厂和雇员等进行运作。

小时候，父母常常对我说："好好上学，争取考个好成绩，以便将来找到一份待遇优厚的安稳工作。"其实，这些都是典型的工业时代的思想。的确，我的父母非常信赖安稳的工作、公司提供的退休金和医疗保险、政府提供的社会保险和医疗保险。现在看来，这些都是工业时代的老观念。如今，我们很多人都知道，所谓安稳的工作纯粹是一个笑话，而且对于很多人来说，终生供职于一家公司已经变得越来越不现实。此外，如果大家在401(k)计划等退休金计划中购买了很多高风险股票和共同基金，这样，所谓的退休安全实际上也成了一个笑话。现在，人们需要一些全新的观念体系，由此才能寻找到财务安全。很显然，直销企业就是解决上述困境的一个良方。目前，越来越多人开始醒悟，尤其是在"9·11"恐怖袭击以及股市危机后，很多人发现在这个日益缺乏安全感的社会中，直销企业开启了人们的一个新思路。直销业向全世界数以亿计的人们，提供了一个把握个人生活和财务未来的良机，因而，即便思想保守的人们熟视无睹、置若罔闻，直销业也将会得到持续、快速的发展。

小　结

多年前，我曾经是一位推销第一代电传机，也就是现在大家熟悉的传真机的推销员。由于当时拥有传真机的人很少，我的推销工作遇到了很大困难。随着传真机使用者数量的增加，我的推销工作也越来越容易。可以说，传真机的社会保有量越大，传真机的价值也就越大。这就是梅特卡夫法则的力量。

今天，在推广直销观念的过程中，同样的情形发生了。多年前，很多人嘲笑直销，给了它非常糟糕的名声，我当然了解这些。现在，整个世界发生了变化，直销业的未来只会更加美好。

正如我在前面提到的，目前很多大公司都设立了专门的直销部门。尽管很少有人意识到，但是，事实上直销必将成为一种主流业务。因而，即便周围的朋友或同事没有发现这个商机，你也应该敞开胸怀，这样就能看到梅特卡夫法则的力量，看到正在自己面前的网络的力量。你所要做的，就是发自内心地说："我想让网络的力量为自己工作。"

下一个价值

在接下来的一章中，我们将要讨论商业技巧。一个人如果想在实际商业领域取得成功，就必须具备商业技巧。直销业的一大优点，就是它能够教给人们非常宝贵的商业技巧，这种商业技巧能够帮助大家将来获得更多财富。

第7章
核心价值之五——培养个人推销技巧

　　在我的人生中，1974 年可以说是一个转折点。当时，我从美国海军陆战队退役，即将回到现实生活的世界中。问题是，我到底要进入哪一个世界呢？是进入穷爸爸的世界，成为属于 E 象限的雇员，还是进入富爸爸的世界，成为 B 象限的一员呢？

　　正如我在前面讲过的，我接受过两种职业训练，很容易成为 E 象限的一员。我可以回到航运业中，作为船长为标准石油公司驾驶油轮，也可以像很多同学那样，成为民航飞机驾驶员。两种职业都很有吸引力，但是，我知道自己不愿意将来做一名船长或者飞行员，那些日子已经离我远去了。虽然面临更大风险，没有什么保障，我还是决定走富爸爸的路子，而不愿意步穷爸爸的后尘。

　　1974 年初，从海军陆战队正式退役前，我找到了富爸爸，请他将我训练成为 B 象限的人士。我至今依然清楚地记得，当时我来到了他位于夏威夷州的漂亮的办公室中，向他请教怎样度过自己人生的另外一个阶段。我那时 26 岁，我知道自己需要一些进入 B 象限的指导，因为进入 B 象限并不容易。"我到底应该怎么做呢？我到底需要怎样一种训练呢？"我问富爸爸。

富爸爸从办公桌旁抬起头，毫不犹豫地说："去找一份做销售的工作。"

"做销售的工作？"富爸爸的话让我感到挨了当头一棒，我按捺不住自己内心的困惑，大声说道："我想成为 B 象限的一员，我不想去做什么销售工作。"

富爸爸停下手头的事情，摘下眼镜，狠狠地盯着我说："你问我下一步应该怎么走，我也只是告诉你下一步应该怎么走。如果你不愿意按照我的建议去做，那请你马上出去！"

"但是，我想成为一位企业所有者，我不想做一位推销员。"我争辩说。

"听着，"富爸爸说道，"我已经提醒过你多少次，如果你想来我这里寻求一些建议，你首先就应该谦虚、认真地听取我的建议。如果你不愿意听取我的建议，那么，今后就不要再问我什么问题。懂吗？"

"好的，那请您解释一下，为什么我应该首先去做销售工作？"我一下子清醒了好多，声音也变得柔和了。富爸爸和穷爸爸都很严肃、直率，我明白自己如果想向他们请教，最好要对他们非常尊敬。接着，我又问道："请您告诉我，为什么学习推销技巧这么重要呢？"

"在商业领域，推销技巧是第一位的。"

"在商业领域，推销技巧是第一位的。"富爸爸说，"推销技巧是 B 象限人士最重要的技巧。如果你不懂得销售，就不要说想做什么企业所有者了。"

"推销技巧是第一位的？"我感到有些困惑。

"最优秀的推销员就是最优秀的领导者。"富爸爸接着说，"看看肯尼迪总统，他是我听说过的最伟大的演说家之一。他演讲的时候，人们都能受到启发和鼓舞，他有一种与人们心灵对话的能力。"

"您的意思是，当人们在讲台上或者电视上发表演讲的时候，其实也都是一种推销，是吗？"我追问道。

"当然。"富爸爸说，"当你写作，或者进行一对一谈话时，比如你要求你的孩子拿起他们的玩具，其实都是在推销某种东西。可以说，你们的中学老师每天都在推销……"

"不过，有些老师的推销并不很成功。"我笑着插了一句。

"是的，因而他们不是很伟大的老师，所有伟大的老师都是伟大的推销员。让我们回顾一下，耶稣基督、佛祖、特蕾萨修女、圣雄甘地、穆罕默德等都算得上是伟大的老师，也都算得上是伟大的推销员。"富爸爸接着说。

"因此，我在推销方面做得越好，我的人生也就会越成功，是吗？"我问。

"没错。反过来讲，"富爸爸回答说，"那些人生很不成功的人，没有人愿意听他们在说什么。"

"人人都可以做好推销工作吗？"我问。

"当然，我们所有人生来就是推销员。你只要留心身边的婴儿，就会发现，他们如果感到饥饿，却没有得到想要的食物，他们就会怎么做呢？"

"我们所有人生来就是推销员。"

"他们可能就会大哭。"我回答说，"他们也在与周围人交流、沟通，推销自己的感受。"

"是的，"富爸爸显得有些兴奋，"你曾经告诉过一个孩子说他不能拥有某件东西吗？如果爸爸没有给他想要的东西，他可能转而向妈妈要。如果妈妈也没有给他想要的东西，他可能会打电话向爷爷、奶奶求助。奇怪的是，随着年龄的增长，我们倒失去了那种'我能够拥有自己想要的任何东西'的'霸气'。随着年龄的增长，周围人告诉我们不能再要求得到自己想要得到的东西。我们不能挑剔、抱怨，不能再做一个麻烦制造者。这样，我们也就学会了不再去推销。"

"因而，作为成年人，我们不得不重新学习自己过去早已经熟知的东西。"我说。

"是的，如果我们想要得到自己向往的东西的话。"富爸爸补充了一句。接着，他又说道："我大概在 30 岁的时候，忽然感到自己在人生中已经严重落伍。我缺乏某种东西，尽管工作努力，事情却并没有像自己预期的那样发展。很快，我意识到更加努力工作并没有多少作用。我终于发现，如果不改变自己，我的人生最终将一无所获，所以必须改变自己。接着，我慢慢意识到自己不懂得与人沟通。手下员工不听我的安排，我告诉他们做某件事情，可是，他们却去做另外一件事情，或者干脆什么事情都不做；客户也不理解我，尽管我反复告诉他们自己产品的优异性能，他们却仍然去购买别人的产品；与陌生人接触时，我常常显得笨嘴拙舌，不知所措；我很厌烦参加各种聚会，常常感到词不达意。我的交流技巧实在太糟了。很显然，如果我想在商业领域取得成功，首先必须学会推销自己。我需要学习做一名更出色的交流者，需要突破自己，从过去的'壳'里走出来。我必须学会不再怕人，必须重新学习小时候曾经懂得的东西。"富爸爸停顿了一下，似乎还在回忆当初的事情。然后，他问我："你还记得好多年前，你和迈克都还在上小学，我去檀香山市参加为期一周的推销培训课程的事情吗？"

"记得，"我说，"当时，我爸爸还认为您参加这样的培训实在有些太离谱了。"

"是吗？"富爸爸显得有些吃惊，"他是怎么说的？"

"他说，'为什么要花这么多钱，参加一个不能获得任何学位的培训课程呢？'"

听到这些话，富爸爸忽然大笑起来，他说："我用自己当时仅有的 200 美元参加了那个培训课程，不过，那次培训却给我带来了数百万美元的回报。哈哈，你爸爸满脑子里只有大学学位，是吗？"

"是的。"我接过富爸爸的话说，"你们两人的价值观不同，我爸爸想得到更多的学位，而你想取得更大的财务成功。"

富爸爸仍然笑个不停，他取出黄色的便笺纸，写下了两个单词：

购买 / 销售

富爸爸指着便笺上的词语，对我说道："在商业领域，这是两个非常重要的词。在股市和房地产行业中，人们总是一直在讨论有关购销协议的话题。市场以及整个商业活动都要有买家和卖家运作，如果没有买家，我就会破产。这就意味着，我必须不断地推销自己的产品和服务。我必须通过电视和报纸广告，通过我的文章，向员工、投资者、会计师以及律师推销。我整天都在推销，我必须让自己的团队不断前进，让客户高兴而来，满意而去。因此，推销绝非只让人们掏钱买自己的东西那么简单。"

"我明白。不过，为什么学习推销如此重要呢？为什么推销是 B 象限人士必须具备的首要技巧呢？"

"这个问题问得很好。"富爸爸赞赏道，他接着说，"绝大多数人没有意识到的一点，就是你推销得越多，你能购买的就越多。"

"怎么解释呢？"我还有些困惑，知道自己又听到了一个很重要的话题，还需要理解得更透彻一些，"为什么说'推销得越多，能购买的就越多'呢？"

如果你想购买东西，首先必须推销些东西

富爸爸慢慢地点点头，让我进一步思考自己刚才说过和听过的东西。"你能推销多少，就可以购买多少。"富爸爸说，"如果你想购买些东西，首先必须推销些东西。因此，推销技巧是你最重要的技巧。"

"这样说来，如果我不能推销，就不能购买，是吗？"我问道。

富爸爸点点头，慢慢说道："穷人之所以穷，就是因为不善于推销，或者根本没有东西可以推销。穷国也是如此，穷国往往不善于推销自己拥有的东西，或者根本就一无所有。这个道理适用于所有人，很多人非常有才能，但是却不善于推销自己的才能。一个不善于推销的企业注定要倒闭，即便它拥有大量存货。我注意到，如果一家企业财务吃紧，往往就是因为企业领导者不

善于推销。他们也许很聪明，却不善于与人交流、沟通。我遇到过很多公司的中层经理，他们不能继续得到晋升，就是因为不懂得推销。在我们身边，那么多单身者没有找到自己梦想中的另一半，也只是因为他们没有很好地与人交流。"

"你的意思是，当我与一个姑娘约会的时候，也是在推销自己？"

"是的，是很重要的推销。"富爸爸肯定地说，"世界上到处都有孤独、贫穷的人们，原因很简单，就是从来没有人教育他们怎样进行推销，怎样与人交流，怎样克服对被拒绝的畏惧，以及被拒绝后怎样重新振作起来等。"

"这样说来，推销影响到人们生活的各个方面。"我补充说。

"是的，因此，好多年前，我用自己手头最后一笔钱参加了推销培训。现在，我比你爸爸拥有更多财富，这是因为他仅仅拥有大学学位，而我接受过良好的推销技巧培训。所以，如果你想成为一名商人，那就去学习怎样推销，不断提高自己的推销能力。你的推销能力越强，就会越富有。"富爸爸说。

接着，富爸爸解释说，自己的会计师为了得到一笔稳定的收入，也在推销个人的专业技巧。他说："当一个人申请某个职位的时候，实际上也就是在推销自己的专业服务。每个人都在推销某些东西，回到自己家中之后，家里的每件东西，比如电炉、冰箱、沙发、电视机、床等，都是别人推销给你的。事实上，你的所有东西，都是别人推销给你的，否则你就只能偷了。如果你的东西都是偷来的，那你就马上离开我的办公室，我不想与偷东西的人交往，我只会与推销东西的人交往。"

"没有想到推销在商业活动中这么重要。"我禁不住感叹说，"没有想到如果希望致富，还需要学习推销技巧。"

"如果你想在生活中取得成功，就需要学会怎样进行推销。"富爸爸补充说，"不妨仔细观察一下周围的现实世界，那些赢得选举的政治人物往往就是伟大的推销员，最成功的宗教领袖也往往是伟大的推销员，最优秀的老师也是最出色的推销员，而孩子更是天生的伟大的推销员。你明白我的意思了吗？"

"我明白了，"我说，"但是，我对推销仍然很恐惧。"

听到我坦诚承认自己的弱点，富爸爸点点头，静静地沉思了一会儿。最后，他说："谢谢你的诚实，绝大多数人都怕推销，都怕遭到拒绝。他们不愿意承认自己畏惧推销，相反，他们却在诋毁推销这个职业，说，'我不是推销员，我是受过教育的专业人士'。"

"你的意思是，很多人都在掩饰自己对于推销的畏惧，"我说，"他们往往做出一副对推销不屑一顾的样子来。"

"是的，很多害怕推销的人都不愿意承认这一点。因而，他们轻视推销员，轻视推销职业。"富爸爸说，"不过，这样做的人往往都是穷人，或者是在个人生活的某些方面表现比较差的人，他们在个人事业或爱情上常常表现不佳。很多不去推销的人，生活大多并不如意，他们经常等到商场削价清仓的时候才去购物，过着非常节俭的生活，究其根源，还是因为他们害怕推销。正是他们的畏惧，以及推销技巧的欠缺，造成了他们的持续贫困。"

"但是，很多人不是都怕被拒绝吗？"我仍然有一些疑虑。

> **"人们应该学习克服自己对于推销的畏惧，而不是让这种畏惧主宰自己的生活。"**

"是的，大家当然都怕被拒绝，"富爸爸说，"因此，成功人士都学习克服自己对于推销的畏惧，而不是让这种畏惧主宰自己的生活。所以，我才用自己身上仅有的一点余钱，赶往檀香山参加推销培训。出于同样的理由，我才将当年给自己的建议现在向你和盘托出，那就是去学习推销。我想再重复一遍，那些贫困、不成功或者单身人士，往往就是因为没有很好地推销什么。如果大家想得到自己向往的东西，你首先要推销一些东西。"

"这样说来，如果我善于推销，也就能够购买任何东西，是吗？"我接过富爸爸的话问道。

富爸爸点点头，回答说："推销是你最重要的技巧。还有，你打算学习怎样推销吗？"

我的推销教育开始了

那次谈话之后，我按照富爸爸的建议，很快向 IBM 公司和施乐公司求职。向这两家公司申请职位，并不是因为它们优厚的分红计划，而是因为它们良好的推销培训计划。同样，很多直销公司都提供了良好的推销培训计划。对我来说，学习推销，学习克服对被拒绝的畏惧，学习明晰地表达自己的观点，都是我接受过的最好教育。可以说，学习推销改变了我的生活，改变了我的未来！

发掘自己内心中赢家的一面

推销培训绝非仅仅是为了学习销售。我刚刚在施乐公司任职时，非常害羞。因而，即便我已经在公司接受了良好的培训，内心的畏惧仍然阻碍着自己主动敲门或打电话推销。甚至直到今天，我仍然有同样的畏惧。区别仅仅在于，我终于获得了自信，克服了个人畏惧，主动敲门或者打电话推销。如果我没有学习怎样克服个人的畏惧情绪，自己内心中输家的一面就可能占据上风。富爸爸常说："在我们每个人的内心中，都有一个富人、一个穷人，也都有一个赢家、一个输家。每当我们让自己的畏惧、怀疑或者自卑占据上风的时候，我们内心输家的一面就会居于主导地位。学习推销就是学习克服我们内心中输家的一面，发掘自己内心中赢家的一面。"

　　直销业的好处在于，它让人们有机会直面内心畏惧、克服内心畏惧，让自己内心中赢家的一面居于主导地位。而且，在个人学习推销的过程中，领导者往往耐心地给予合作。相反，在传统的商业领域，如果你一两个季度内销售业绩不佳，往往就会立即被解聘。施乐公司还算慷慨一些，他们给了我1年时间学习销售，1年时间参加销售实习。如果没有这两年，我知道我将会被解聘。就在即将被解聘之前，我的自信心忽然大增，销售业绩大涨。两年后，我已经成为了办公室里数一数二的推销员。除了得到了一笔丰厚的奖金，更重要的是，通过这些磨炼我重新树立了自尊。重新找回的这种自尊与自信是无价的，而且，它帮助我获得了数百万美元。因而，我一直对施乐公司深怀感激，对进行推销培训，特别是进行克服内心怀疑和畏惧的培训深怀感激。今天，我向大家郑重推荐直销，因为该行业提供了一个重建、增进个人自信的绝佳机会，施乐公司当年就曾经向我提供过这种机会。

推销培训帮助我找到了自己梦想中的女孩

　　冒昧地说一句，如果没有推销技巧，尤其是如果没有更为重要的自信心，我就很可能不会结识梦想中的女孩，并且与她结婚。初见妻子金的时候，我觉得她是世界上最美丽的女孩子。今天，我觉得她更加美丽，因为她不仅有一个美丽的外表，还有一颗更美丽的心灵！

刚刚见到她的时候，我不知所措，说不出一句话来，我怕走到她面前去。但是，推销培训中如何克服自己内心畏惧的知识帮助了我。我没有坐在教室后面、将头深深埋到课桌下面、远远地呆望着她不敢说一句话，（此前，我遇到自己心仪的女孩，常常就是这样。)而是大胆地走到她面前，打了声招呼。显然，我接受的推销培训已经有了回报。

金转过身来，脸上露出美丽的微笑，我一下子爱上了她。她非常友好、迷人，我们俩很快就无话不说。我们相处融洽，她正是我梦想中的女孩，然而，当我单独约她出去的时候，她还是一口回绝了。作为一名优秀推销员，她回绝的时候，我还是一次次地邀请她。尽管我的自信心受到了打击，男性的自尊受到了伤害，我还是坚持邀请她。当然，她还是一次次回绝了。这种情况持续了整整6个月。如果我没有学习如何克服内心的自卑，肯定坚持不了6个月。

我的心被刺痛了，每次她对我说"不"之后，我都要暗暗地抚慰受伤的自己。经过了6个月的回绝之后，我脆弱的自信已经大大降低，但是我还是坚持邀请她。终于有一天，她答应了我。从那时到现在，我们俩就一直在一起，从来没有分开过。

我们开始约会后，我的男性朋友总是对我说："我不相信她会与你约会，她很精明，你却很老实，你千万不要被她漂亮的外表所迷惑。"静下来的时候，我却想起富爸爸曾经对我说过的话："推销是商业活动中最重要的技巧，也是生活中最重要的技巧。"在"富爸爸"系列丛书第5本《富爸爸　年轻退休》的封面、封底上，大家能看到我与妻子金在斐济群岛的合影。我们骑在马上，脸上露出开心的笑容，因为我们在那一天获得了财务自由。在我看来，如果没有金的帮助，我肯定不会做到这一点。她是我梦想中的女子，她让我的生活更加完美。今年，我们一起迎来了婚后的第 17 个年头。

拒绝的真正涵义

前几天，我听到一个商业电台介绍说："这是一家很好的企业，根本不需要推销。"我心里暗暗思忖："哪些人会被一个无须推销的工作职位吸引，或者被一个无须推销的企业吸引呢？"接着，我意识到，很多人可能会被这个不需要推销的工作职位吸引，即便我们所有人其实都在推销着什么。深入思考之后，我认识到，绝大多数人实际上并不是反对推销本身，而是不愿意被人拒绝。我也是，我也害怕被人拒绝。既然绝大多数人不愿意被人拒绝，我觉得实在有必要重新认识"拒绝"一词的涵义。

20 多年前，我是施乐公司的一位辛苦打拼的推销员。有一天，我去找富爸爸，向他诉说自己对于被客户拒绝的不满。我说："我不仅痛恨遭到拒绝，而且整日生活在恐惧之中，总是担心被拒绝。我发现自己正在竭尽所能，避免可能被人拒绝的各种情况发生。有时候，我甚至觉得死也要比被人拒绝好受一些。每次当我敲开一家公司的大门，秘书说，'我们已经有了一台复印机'，'我们对新复印机没有兴趣，尤其是施乐公司生产的复印机'，'我们老板不愿意与推销员见面'，或者'我们喜欢你推荐的产品，但是，我们打算购买你们竞争对手——IBM 公司生产的复印机'。每当听到诸如此类拒绝的话，我就真想钻进一个洞里去死。我对被人拒绝的一幕想得越多，就越想辞掉推销工作，远走高飞。结果，我越想避免客户拒绝，施乐公司老板就越想说要解雇我。"

拒绝 = 成功

我对于被人拒绝的畏惧、我的低自尊以及缺乏自信，都有可能毁掉自己的生活。表面看来，我显得非常自信，也喜欢外出联系业务。我给人留下的印象就像约翰·韦恩，但是实际上，我的内心更像一个胆小怕事的小丑。就在我处于人生低谷、即将被公司解雇前夕，富爸爸向我传授了一些至理名言。施乐公司销售经理安排我开始实习的那一天，富爸爸对我说："世界上最成功的人，其实也就是被拒绝最多的人。"

"什么？"我简直有点不相信自己的耳朵，吃惊地追问道，"世界上最成功的人，其实也就是被拒绝最多的人？"

"是的，"富爸爸回答说，"相反，世界上受到拒绝最少的人，其实也就是最不成功的人。"

"这样说来，如果我想有一个成功的人生，就需要被拒绝得越来越多。"我试着说道。

"你说对了。"富爸爸微笑着频频点头。

"不过，我还是不明白，请你解释一下。"我说。

"让我们看看美国总统吧。很可能有49%的选民，也就是数以千万人投票反对他，但是，只要另外有51%选民支持他，他就可以赢得大选，入住白宫。想想看，曾经有数以千万人拒绝过你吗？"

"当然没有。"我说。

"好了，当你被数以千万人拒绝的时候，你就会非常著名，就会取得很大成功。"

"但是，他同时还有数以千万人接纳他，支持他。"我补充说。

"的确如此。" 接着，富爸爸反问道，"不过，如果害怕遭到拒绝，他能够成为美国总统吗？"

"不，我想不会。我知道还有很多人不仅仅拒绝他，甚至还痛恨他。为此，他不得不安排很多保安人员，因为有人甚至想杀掉他。我想，自己可能承受不了那么大的压力。"

"这也许正是你没有像自己向往的那么成功，或者没有充分发挥自己潜力的原因。事实上，没有人愿意被拒绝。但是，现实生活中的教训是，一味回避被拒绝的人是当今世界上最不成功的人。这并不意味着他们人不好，而是他们没有像遭到很多拒绝的人那样成功。"富爸爸解释说。

"这样看来，如果我想在生活中取得成功，就需要冒遭到越来越多拒绝的风险，是吗？"我问。

"对。"富爸爸肯定地说，"看看罗马教皇，他是一位伟大的人，一位伟大的宗教领袖，但是，他也是被人拒绝最多的人。数以亿计的人不喜欢他所说的话，或者不喜欢他所代表的信仰。"

"这也就是说，不要像一个懦夫那样行事，不要让我们的销售经理解雇我。我应该主动出击，开始寻找拒绝自己的人。"我似有所悟，轻轻地说。

"是的，如果你还没有开始被人拒绝，你将来一定会被公司解雇。"富爸爸笑着说，"不过，还要注意，不能傻傻地来到社会上，对自己的职业不知所措。大家需要冒被人拒绝的风险，但是，必须从这些被人拒绝的事件中吸取教训，不断改正、提高自己。"

"也就是说，先遭到拒绝，然后改正自己的行为。"我插了一句。

富爸爸点点头，接着将自己当年花了 200 美元在檀香山参加推销培训课程时学到的公式写了下来：

$$拒绝与改正 = 教育与促进$$

"多年来，我一直按照这个公式行事。每次被别人拒绝时，我总是问自己，'我在什么地方做错了？我怎样才能做得更好？'如果我自己找不到一个很好的答案，我就会打电话向拒绝我的客户请教，回顾发生的问题。也许还会找朋友进行角色扮演、重复当时的情形，而在这场角色扮演中，朋友们往往扮演买家，而我总是扮演卖家。需要注意的一点是，我从来不向拒绝我并骂我为'蠢材'、'乞丐'、'贱货'或'赔钱者'的家伙们打电话。因为这类电话毫无意义，相反，我对那些给了我学习、改正、提高自己机会的人充满感激。我常常问自己，'下一次，我怎样才能把握不同情况，做得更好一些呢？'"

"而且，这些活动将会直接给自己的生活带来教育和促进。"我补充说。

"在我看来，这是在人生中各个方面取得成功的基本原理。"富爸爸说。

"不过，如果我回避拒绝，这个过程就不会开始，是吗？或者，能否说拒绝正是教育的开始呢？"我问。

富爸爸点点头，他微微一笑，说道："你说得对。从长远看，那些在生活中回避拒绝的人，往往要比直面拒绝的人更少一些成功的机会。很多人的人生不大成功，就是因为他们被人拒绝得不够多。"

> **"我被人拒绝越多，被人接受、支持的机会也就越多。"**

"我明白了。"我笑着对富爸爸说。几天后，我自愿在一家慈善募捐机构工作，拨打募捐电话。显然，我从事这项工作并不是为了赚钱，而是有一个更有意义的理由，那就是想被人拒绝得更多。直到这个时候，我才意识到自己在施乐公司工作期间，每天遭到的拒绝有些太少了。通过晚上义务拨打募捐电话，我被人拒绝的次数很快增加。我心里明白，被人拒绝得越多，也就越能更好地改正自己的弱点；越是能更好地改正自己的弱点，也就越能受到更好的教育；越是能受到更好的教育，也就能取得更大的成功。因此，整整一年，我在施乐公司工作之余，每周还要在那家慈善机构的办公室工作 3 个晚上，拨打募捐电话。就在那一年中，我从一位即将被施乐公司解雇的推销员，逐步成长进步，直至两三年后，我成为了公司数一数二的推销员。一旦我在施乐公司销售领域取得了成功，我就辞掉了这份工作，转而全身心投入到此前一直利用业余时间准备的尼龙和"维可牢"褡裢钱包公司，开始了步入 B 象限的历程。我的切身体会是：被人拒绝得越多，被人接受、支持的机会也就越多。

98%的拒绝率

继续讨论"拒绝"这个话题之前，我认为最好能给大家一些实例。我在商学院短期学习期间，曾经有一位教授说过："为了在商界取得成功，你至少要在51%的时间内做对事情。"然而，在我看来，这样讲并不十分准确。实际上，即使一个人平时的成功率很低，也有可能取得极大成功的。

比如说，在直邮广告企业中，如果一家公司寄出100万份信函，其中2%的信函有了反馈，就常常认为非常成功了。这意味着，其中98%的收件人说了"不"，也就是说，在直邮广告企业中，即便98%的信函被拒绝，也算得上非常成功了。事实上，在很多大众市场推广活动中，98%的拒绝率也被认为是一个相当出色的结果了。

上述事实对于我们的启示是，如果想在现实生活中取得更大成功，那就要直接寻求更多的被人拒绝的机会，然后不断改正自己。直销企业的好处在于，领导者往往鼓励大家出去寻找一些被拒绝的可能，这其实也就是机会。如果你真想在生活中取得更大成功，那就加入一家直销公司，学习克服自己对被人拒绝的畏惧。如果你花5年时间这么去做，我敢肯定你将来会更加成功。至少，对于我自己来说是这样的。实际上，我一直在寻求越来越多的被人拒绝的机会。因此，我学习去做一名公共演说家，带着自己的商业片参与电视节目。可以说，全世界目前有数百万人拒绝了我，而这也正是我越来越富有的原因。

教育与推销

与施乐公司相比，直销给了我更大的挑战。因为在施乐公司的时候，我所要做的全部工作，就是去学习推销。而在直销领域，我不仅要学习推销，还要教育别人推销。如果你自己能够推销，但是却不能教会别人推销，那么你在直销领域就很难取得成功。这就意味着，如果想在直销领域取得成功，非常重要的一点就是首先要成为一名优秀的老师。如果你热爱教育，就可以在直销领域做得非常成功。

我个人认为，教育与其说是推销，还不如说是一种回报。在我看来，直销业的优势在于，该行业可以将你训练成为一名好老师，而不仅仅是一名推销员。如果你喜欢学习，喜欢教育别人，那么对你来说直销业就再合适不过了。

销售经理不是在推销产品，而是在教育别人

在各类直销企业中进行市场调研的时候，我遇到了很多工作勤勉努力、擅长推销却在自己企业中不大成功的人。究其根源，可能就在于他们向那些不能、不去推销的人推销。比如，一个新直销公司的老板邀请了一些家人、朋友来学习直销，我也赶来参加。坐在屋里聆听讲解的时候，我忽然发现那位新老板根本没有讲话，基本上都是由他的"上一级销售代表"来做讲解。

会后，我问这位新老板，他的上一级销售代表是否教他一些推销的具体细节。他回答说："不，我的上一级销售代表只要求我将家人、朋友带进这个会场。他是惟一一位专做推销的人，因为他是最优秀的推销员。"

由此，我知道这家直销公司的教育培训体系存在严重问题。首先，这种培训流于形式，成了一句空话。公司开列了阅读书目，却没有人真正读过其中任何一本。其次，他们让大家开办自己的直销企业，只是为了让大家带来更多朋友和家人，以便向后者推销。实际上，这并不是一个商学院，而是一个销售学校。

我在施乐公司任职期间，公司的销售经理查理·鲁宾逊是我遇到过的最好的老师之一。我与客户约定了会谈时间后，查理·鲁宾逊经理会陪我前往。整个会谈期间，他很少说话。会谈结束后，我们就一起返回他的办公室，分析我在会谈时的陈述。

接着，我们一起分析我在会谈中的得失。经过了这样一番教育和改正后，查理·鲁宾逊经理又对我进行了一些推销培训，加强我的推销技巧，尤其是克服被人拒绝的技巧。这便是我成为一名推销员的经过。可以说，我之所以成为一名出色的推销员，就是因为我有一位伟大的老师。尽管查理·鲁宾逊本人也是一位伟大的推销员，但是，一旦成为销售经理，他就必须首先成为一位老师，而他后来的确也成了一位伟大的老师。因而，在我们共同参与的许多推销会谈中，他总是静静地坐在一边，偶尔向我示范应该怎么做，不过，在绝大多数场合，他都保持沉默。总而言之，要想在直销领域取得成功，就必须像查理·鲁宾逊经理那样，首先做一名伟大的推销员和老师。一旦学会了这样来做，梦想中的企业才会变成现实。

推销员

我与挚友布莱尔·辛格已经相识 20 多年了，他是我们的"富爸爸"顾问之一，也是《富爸爸 销售狗》一书的作者，多年来我们一直在销售该书。我们两人当年都从夏威夷州的初级销售代表做起，我加入了施乐公司，他则加入伯罗斯公司，该公司是现在著名的优利系统公司（Unisys，美国大型计算机厂商之一）的前身。我们都经过了公司的推销培训，发现很多直销企业的创办者都学过推销，后来却失败了，这是因为他们未能成为出色的销售经理。在美国企业界，销售经理不应该只是推销员，而且应该是优秀的老师。

在《富爸爸 销售狗》一书中，布莱尔·辛格探讨了销售领域中各类推销员的区别，以及他们所需要的不同培训。布莱尔·辛格说："推销培训在直销企业中地位如此重要，就是因为你不仅要学习如何推销，还要学习如何帮助别人推销。如果不能教会别人推销，你就不能在直销中取得成功。"

信用卡债务

今天，这么多人陷入信用卡债务中的原因之一，就是他们不懂推销。人们用信用卡购物时，他们实际上是在出售自己的未来，出售自己未来的劳动。在大多数情况下，人们使用信用卡消费，其实就是为了在"今天"购买某件东西，而出售了他们的"明天"。很多人之所以陷于信用卡债务危机中，就是因为他们长期以来接受的教育是要成为一名大买家，而不是成为一名大卖家。

不要去出售自己的"明天"，相反，我鼓励大家投身直销业中，学习如何进行推销。如果大家学会了怎样进行推销，而且创建了一家成功的直销企业，就可以运用信用卡购买自己想要的东西，然后在每月末付清账单。在我看来，这要比出售自己的"明天"更有意义。其实，大家都明白，提早出售"明天"注定不会有什么美好的未来。

小 结

总而言之，对于每个人来说，推销能力都是一种非常重要的生活技巧。实际上，我认为家里的小猫也精于推销，甚至远远胜过了常人。每天早晨，如果它饥饿时我没有喂食，小猫一定会及时让我知道它想要什么。可惜，人类却没有接受训练那样去做。通过传授推销技巧，以及传授如何教育别人推销的技巧，直销企业也许可以让人们恢复在生活中获取自己所需东西的本能。

下一个价值

在接下来的一章中，我们将要介绍直销企业如何开发大家的领导技巧。富爸爸曾经指出："在 B 象限，领导技巧是不可或缺的。"

第8章

核心价值之六——
培养个人领导技巧

富爸爸和穷爸爸都是卓越的领导者。穷爸爸是夏威夷州教育主管，他是一位出色的演说家，勤勤恳恳地致力于提高夏威夷州教育质量的工作。富爸爸也是一位卓越的领导者，他激励员工和投资者帮助自己建立了庞大的商业王国。我从越南战场回国后，富爸爸提醒我注意培养自己的领导技巧。他说："领导者常常从事大家不敢去做的工作。"这也许正是 B 象限的企业领导者少之又少的原因。在本章中，我们将要讨论在直销企业中，培养人们领导技巧的意义。

富爸爸鼓励我加入海军陆战队，继而前往越南参战的原因之一，就是想培养我的领导技巧。在越南期间，我发现伟大的领导者往往从不训斥、辱骂或体罚下属。在战斗白热化阶段，我发现伟大的领导者往往都非常平静、勇敢，他们的讲话也往往能够深入我们的灵魂。直销企业的重要价值之一，就是帮助领导者掌握那种高超的领导技巧。

领导技巧不可或缺

富爸爸还说："在现金流象限中，每个象限都有领导者。但是，除了 B 象限之外，你在其他三个象限想取得成功，都不必要成为领导者。在 B 象限，领导技巧是不可或缺的。"接着，富爸爸又指出："资金并不一定流向拥有最好产品或服务的企业，资金总是流向拥有最好领导者和管理团队的企业。"

如果大家观察现金流象限，就会发现每个象限都有领导者。

比方说，穷爸爸是 E 象限充满活力的领导者，富爸爸则是 B 象限和 I 象限的领导者。从很小的时候起，穷爸爸和富爸爸都反复强调培养发展我的领导技巧的重要性。因此，他们都鼓励我参加童子军，参加体育活动，到军队服役。回顾自己在职业生涯和财务方面取得的成功，我认为给自己帮助最大的训练，并不是当年在学校里接受的教育，而是在童子军、体育活动以及在军队服役期间接受的训练。

1974 年，我终于离开了美国海军陆战队，离开军队，迈入了商界。我曾经多次问自己："自己的领导技巧是否已经相当好了？"了解我离开军队以后情况的人可能也已经知道，我早年在童子军、体育活动以及军队中所接受的领导技巧训练，远远无法满足我应对 B 象限挑战的需要。我还要进一步学习很多东西。

当年在军队接受的领导技巧训练之所以不足，原因非常简单：军队与商界的规则、背景和环境都非常不同。在准备作战的时候，我们明白如果自己是一个糟糕的领导者，就会造成很多战友伤亡。而在商业领域，如果你是一位糟糕的领导者，就有可能受到控告，或者被一些人以及他们所代表的团体投诉。在军队中，激励我们做好领导工作的动力，来自于对死亡的恐惧、团队的价值，以及所担负使命的重要性。而在社会中，我们常常看到与此截然相反的动机。在商业领域，正是安稳而非自由、金钱而非使命、个人而非团队、管理而非领导，激励着人们行动。正是由于上述价值观的不同，我在初涉商界时经历了一段痛苦的时期，时至今日，甚至还要为两种价值观的不同所困扰。

我知道，一名新雇员刚刚来到公司时，经理就会向他介绍公司的使命、团队精神的重要性以及各种崇高理想。但是，今天在很多企业中，我发现金钱、福利和工作安稳才是维持公司运作的手段。考察各类直销公司的时候，我发现很多领导者，当然也不是全部领导者，他们拥有与军队领导者相似的核心价值观，他们强调使命、团队精神和自由的重要性。我在直销企业遇到的很多领导者，无论年龄大小，都充满了活力和朝气，与很多以领导者自居的传统管理者大不相同。

管理者并不等于领导者

在我看来，直销企业最重要的价值之一，就是让你接受了领导技巧训练。这种训练给了你知识、时间和机会去发展自己最重要的商业技巧——领导技巧，而领导技巧正是在 B 象限取得成功的关键。领导技巧与 E 象限和 S 象限所需的管理技巧相去甚远。当然，管理技巧也是非常重要的技巧，但是，必须懂得管理技巧与领导技巧的区别。正如富爸爸所说："管理者没有必要一定做领导者，同样，领导者也没有必要一定做管理者。"

我常常发现，E 象限或 S 象限的人很难转入 B 象限，往往是因为其自身虽然有良好的专业技巧或管理技巧，但却缺乏领导才能。比如，一位朋友的朋友前来找我，他打算筹集一笔资金，开办个人餐馆。他是一个非常聪明、接受过良好训练的厨师，并且有多年从业经验。他为自己未来的餐馆制定了独特的经营理念、详尽的商业规划和宏大的财务规划，他还早已相中了一处很好的地盘。如果他能够筹集到 50 万美元的投资，创办起自己的新餐馆，过去的老客户也将会跟随而来。

从他开始撰写这个商业规划，至今已经 5 年了，但是，他希望能给他投资的每一个人——包括我在内——最终都拒绝了他。现在，他仍然在原来那家餐馆打工，仍然是一位优秀的厨师，仍然在寻求 50 万美元启动资金。我不明白其他投资者为什么不给他投资，但是，我现在可以向大家坦言自己为什么不给他投资，下面就是一些主要理由。

理由 1　虽然他很有经验，也很有吸引力，但是，他缺乏激发大家信心的领导技巧。虽然他可以开办一家餐馆，并且成功地运营，但是，我仍然怀疑他能否让它成为一家大型连锁餐馆。他曾经说："我一定会成功，但是，我们将长期保持较小的规模。"也就是说，他具有很强的管理技巧，但是，我怀疑他是否具有完成计划的领导技巧。我相信他能够管理 10 家餐馆，却很怀疑他是否具有创办一个可以开办 10 家连锁餐馆的企业的领导技巧。他需要一位具有领导技巧和商业技巧的商业合作伙伴，然而，作为从 E 象限转入 S 象限的典型代表，他不愿意要任何合作伙伴，而是想独自实现自己的梦想。

理由2　我们划分现金流象限的时候，S象限与B象限的主要区别在于规模。比方说，如果大家听到有人说"我想在第六大街与瓦因大街的拐角处开一家汉堡包店"，你大概就明白，此人很可能要在S象限待相当长的一段时间。现在，如果大家听到有人说"我想在全世界大城市的主要街道开办一家汉堡包店，而且，我要将这家企业叫做'麦当劳'"，你马上就能明白，这个人同样打算开汉堡包店，但是，他是想建立一个属于B象限的庞大企业。也就是说，同样都是开办汉堡包店，开办者却属于不同的象限。对此，富爸爸可能会说："街头开店数量的区别，正是领导者的区别。"

因此，我没有向这位优秀的厨师投资，因为我怀疑将来能否收回自己的投资。并不是说餐馆会倒闭，而是担心他可能永远保持小规模经营，尽管这样也可能已经算成功了。另外，如果他要返还投资，也可能需要相当长的时间。如果你问很多投资专家，他们感兴趣的肯定往往不是一家餐馆有多么好，而是连锁餐馆规模究竟会发展到多么大。

理由3　如果他继续保持小规模经营，那我何必向他投资呢？如果他打算不断发展壮大自己的企业，可能将我最初的50万美元投资变为数千万美元，我会非常高兴。而由于缺乏让餐馆发展壮大的领导技巧，他能否将我的50万美元投资变为数百万美元都很成问题，这也是缺乏将企业从S象限转入B象限的领导技巧所付出的代价。正如富爸爸所说，"投资并不会流向拥有最好产品或服务的企业，而是会流向拥有最出色领导者和管理团队的企业。"

理由4　他是原来团队中最能干的成员，有些过于自负。正如富爸爸常常指出的，"如果你是团队的领导者，又是其中最聪明的人，那么，你们团队肯定会遇到很多麻烦。"富爸爸的意思是，在很多 S 象限的企业中，领导者往往就是企业中最聪明的人。

在一个属于 B 象限的企业中，领导技巧非常重要，因为 B 象限的人需要与那些比自己更聪明、能干、经验丰富的人打交道。比如，我就看到没有受过任何正规教育的富爸爸，为了完成自己的工作，整日与银行家、律师、会计师以及投资顾问等专业人士交往，这些专业人士往往拥有硕士学位，有些甚至拥有博士学位。也就是说，为了完成自己的工作，富爸爸必须领导和指挥那些受过良好教育、来自不同专业领域的人们。为了给自己的企业筹集资金，他常常还必须与那些比自己更富有的人接触。

考试成绩是 "A" 的学生为考试成绩是 "C" 的学生打工

在大多数情况下，S 象限的人往往只与自己的客户、同行（比如其他医生或者律师）交往，当然，有时候也与自己的下属交往。为了从 S 象限转入 B 象限，专业技巧方面其实没有多少要求，领导技巧方面却需要一个突飞猛进的转变。也就是说，如果你拥有卓越的领导技巧，就可以聘请企业发展所需要的专业人士，比如律师、会计师、CEO、总经理、副总经理、工程师和管理者等。正如我在前面几本书中所说的，考试成绩是 "A" 的学生为考试成绩是 "C" 的学生打工，而那些考试成绩是 "B" 的学生往往在政府部门工作。如果你当年是一位考试成绩为 "C" 的学生，也不必过于灰心丧气，"C" 代表 "沟通者"、"交流者"，如果你拥有出色的领导技巧，就可以聘请那些拥有非凡专业才能、考试成绩为 "A" 的学生来给自己工作。

领导技巧不可或缺

一天，前面提到的那位朋友的朋友打电话给我，问我拒绝给他投资的原因。我大体上讲了上面4个理由，很显然，他受到了不小的打击。接着，他争辩说："但是，我接受过世界上最好的训练。世界各地的厨师都梦想着有朝一日能够上我曾经就读的烹饪学院，我不仅有多年的厨房操作经验，而且还有多年的餐馆管理经验。你怎么能说我缺乏领导技巧呢？"

> **"在一个快速发展的企业中，非常需要领导技巧。"**

我向他耐心解释，坦诚地承认自己在资金、信心、领导能力和团队精神上的顾虑，他开始理解了我的想法。不过，我觉得他仍然没有完全理解。后来，他问道："我接受过这么好的教育，拥有这么多年的丰富经验，为什么说我还需要领导技巧呢？"

我建议他加入一家提供商业教育和领导才能教育的直销公司，他非常生气，向我嚷道："我现在处在餐饮行业，根本不需要任何商业教育和领导才能教育。"这个时候，我意识到对他来说，终身商业教育和持续不断的领导才能教育都是可有可无的。相反，对于富爸爸来说，在一个快速发展的企业中，领导技巧非常需要。富爸爸认为，在B象限，领导技巧是必不可少的。

世界上最好的训练

正如我在本书开始所说，我发现直销企业最重要的价值之一，就是它们提供的那种改变人生的商业教育。此外，我还从这些直销企业中找到了世界上最优秀的商业计划和领导才能培养计

115

划。在我看来，这些计划对于那些想从 E 象限和 S 象限转入 B 象限的人来说，都无比珍贵。

自从摈弃了对直销业的偏见、开展自己的研究以来，我已经结识了很多成功的企业家，他们都曾经在直销企业中接受了自己的商业教育。前几天，我遇到一个小伙子，他从自己的电脑企业中赚到了数亿美元。他对我说："我曾经担任电脑程序员多年，有一天，朋友带我参加一个会议，我签约参加了他的直销。6 年期间，我所做的就是参加会议、出席活动、读书和听录音带。从那时到现在，我已经在壁橱中积攒了数百盘录音带、一大堆书籍。最后，我不仅在直销业中获得了成功，而且运用自己从中学到的东西，等到直销给自己带来了足够的收入后，我就辞掉过去的电脑程序员工作，创办了自己的电脑公司。3 年前，我让电脑公司成功上市，获得了超过 4 800 万美元的税后净收入。现在回想起来，如果当初没有接受直销公司的培训，我就肯定做不到这些。那些培训是世界上最好的商业培训和领导才能培训。"

领导者对你的灵魂讲话

在研究的过程中，我参加过很多直销会议和大型活动。我有幸听到了一些最优秀的直销企业领导者的讲话，这些讲话都激励人们发现自己内心中的伟大之处。我倾听过他们回顾自己的创业之路，他们白手起家，最后的富有程度却超出了个人最大胆的想像，我意识到，正如富爸爸对我的谆谆教诲一样，直销企业本身也是个大学校，一个培养、教育新领导者的大学校。他们似乎经常谈论金钱，但其实他们是在激励人们突破自己固有的思维定势，无所畏惧，实现自己的梦想。正是由于这些梦想，人生才变得更有意义。要做到这一点，就需要演讲者具有良好的领导技巧，这是因为，很多人都能说出诸如"梦想"、"用更多时间陪伴家人"、"自由"等这样的话语，但是，真正能够使听众受到激励和鼓舞，并去相信和追随演讲者并不容易。

泯灭你的精神

在本书的前半部分，在讨论直销具有改变人生的价值时，我们曾经运用了下面这个图。我们认为，教育的力量不能只限于影响个人的思想。实际上，改变人生的教育影响到人们的智力、情感、精神和行为四个方面。下列图表就反映了人们运用情感的力量，激励别人落实某项行为。

情感与情感之间的交流

说者

智力

精神 情感

行为

听者

智力

情感 精神

行为

记得在学校时，校方运用很多智力手段让我们在情感方面担惊受怕，努力学习，争取好成绩。长大后，我发现很多人在运用各种情感方法，激励你去做他们想让你做的事情。

下面这些话，就是有人交谈时使用一些情感手段的例子：

1. "如果你在学校没有取得好成绩，将来就不可能找到一份好工作。"

2. "如果你不能准时上班，就要被解雇。"

3. "如果你在选举中投我的票，我保证不会让你失掉自己的社会保险福利。"

4. "稳妥行事，不要冒不必要的风险。"

5. "请你加入到我们公司，这样你就能赚到很多钱。"

6. "让我教教你怎样才能迅速致富。"

7. "按照我的吩咐去做。"

8. "正如你所知道的，公司正处在一个比较困难的阶段。如果你不想被解聘，最好就不要申请加薪。"

9. "你没法辞职，谁还能像我这样给你支付那么高的薪水？"

10. "你仅仅准备了 8 年退休金，千万不要有任何闪失，不要乱动。"

在我看来，现在很多交流都是利用大家的恐惧或贪欲的情感，鼓动人们从事某项工作。当恐惧或贪欲成为激励人们的主导因素时，就有可能泯灭我们的精神。

真正的领导者都在设法激发人们的精神

我在越南期间，遇到过很多情感性的交流。不过，我们当时的一些领导者之所以伟大，主要因为他们的讲话能够针对我们的精神。可以说，他们的演讲直指我们的灵魂，让我们战胜了对死亡的恐惧，让我们变得刚强起来。下面是一些伟大的领导者曾经讲过的话，这些话直抵我们的精神，正如下列图表所展示的那样，让我们克服了怀疑、恐惧。

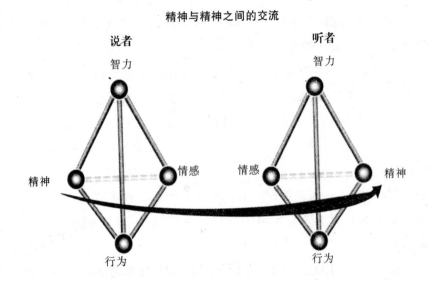

精神与精神之间的交流

大家或许还记得曾经感动过我们心灵的至理名言，它们已经深深留在了人类历史上。

1. "决定美国人自由或者被奴役的时刻已经来临。"——乔治·华盛顿

2. "不自由，毋宁死。"——帕特里克·亨利

3. "记住阿拉莫①。"——得克萨斯战斗口号

4. "当他们变成我的朋友时，难道我不是在消灭我的敌人吗？"——亚伯拉罕·林肯

5. "贬低别人同时也贬低了自己。"——布克·华盛顿

---

① 阿拉莫（Alamo）：天主教方济各会在美国得克萨斯州圣安东尼奥的传教区，曾于1836年得克萨斯独立战争中被墨西哥占领。——译者注

6. "不要问你的国家能够为你自己做些什么……"——约翰·肯尼迪

7. "我有一个梦想……"——马丁·路德·金

8. "取得胜利是一种习惯。不幸的是，失败也是一种习惯。"——文斯·隆巴迪

9. "惟有对自由的坚定信念才能让我们永远自由。"——德怀特·艾森豪威尔

10. "懦弱的人从来不会成为道德高尚的人。"——甘地

11. "千万不要自卑，当然你也并没有多么伟大。"——戈尔达·梅尔

12. "实力强大就像做一名淑女。如果你不得不告诉别人自己是一名淑女，那么，你实际上肯定不是这样。"——玛格丽特·撒切尔

13. "不要让自己不能做的事情干扰了自己能做的事情。"——约翰·伍登

14. "最好的朋友就是培养出我的最大优点的人。"——亨利·福特

15. "不要想去做一位成功的人，而要努力去做一位有价值的人。"——阿尔伯特·爱因斯坦

小结：三类不同的领导者

直销企业具备领导能力培训计划，其优势在于，它能够培养不同类型的领导者。军队培养那种激发人们保卫自己国家的领导者，商业领域培养那种建立团队、战胜竞争对手的领导者。在直销领域，则是培养影响其他人的领导者，通过做一名伟大的老师，教育别人追求他们的人生梦想，进而实现自己的人生梦想。

很多直销领域的领导者不是去击败敌人或者竞争对手，而是鼓励、引导别人寻找世界赋予自己的财务宝藏，而且不会伤害他人。

总而言之，上述三类领导类型都是直接对人类精神讲话，但是，不同的领导类型培养不同的领导者。如果你喜欢通过教育、影响、鼓励别人寻找各自的财务宝藏来领导，而不是通过让别人击败对手来领导，那么，直销企业也许非常适合你。

下一个价值

接下来的一章，我们将要讨论金钱和财富的不同价值。不幸的是，绝大多数人都被训练着为了金钱而工作，而不是为了创造个人财富而工作。很多人在直销领域之所以没有取得成功，其中非常重要的原因就是他们当初投身这个领域不是为了寻求建立个人财富的机会，而是为了寻求金钱，正如富爸爸所说："富人不是为了金钱而工作，穷人和中产阶层却恰恰相反。"

第9章

核心价值之七——
工作不是为了金钱

2002 年，在一次电台谈话节目中，一位听众与我展开了这样一场对话。

"我是一位电子工程师，供职于硅谷的一家大型电脑公司。正如您所了解到的，高科技行业近年来遭到了重创，尤其是在加利福尼亚州。我虽然没有被解雇，但是公司已经正式要求我减少工作时间，同时降低薪水。您知道加州的房地产有多么昂贵，我每月的抵押还款额与我经过削减的薪资数额大体相当。如果将来再次遇到减薪，我很担心失去自己的房子。更要命的是，我的退休金计划，我的 401(k)已经丧失殆尽。我应该怎么办呢？"

"你曾经想卖掉自己的房子吗？"我反问道。

"是的。"那位听众回答说，"问题是，房价已经大跌，房子现在的价值要比尚未付清的房款还低。如果我现在卖房子，甚至还要再付给买家一笔款。而且，我现在没有别的地方可住，另外去租房子也并不划算，房租依然昂贵，与我现在每月偿还的抵押贷款差不多。"

"您妻子从事什么工作呢？"我接着问道。

"她在一家幼儿园工作。幼儿园也面临着不少麻烦，因为很多家庭已经搬离了这个地区。当然，她的工作还算稳定，只是薪水很低。"

"她为什么不去找一份薪水更高的工作呢？"我继续问道。

"她也想过要去找一份薪水高一些的工作，但是，这家幼儿园提供的福利之一，就是我们的两个孩子可以免费入托。如果孩子上幼儿园需要付费，这笔费用就几乎相当于她在另一家公司的薪水。"

"你曾经考虑过业余开办一家家庭企业吗？"我又问。

"我告诉你吧，我们现在已经没有其他任何资金。没有资金，我怎么去开办一家企业呢？"那位听众反问道。

"你和妻子有没有想过在家开办一家直销企业呢？开办这样一家企业无须多少启动资金，而且还可以得到培训。"我说。

"噢，我们也曾经留意过直销业。可是，他们不能付给我任何钱，他们希望我在赚钱之前，先工作两三年。问题是，我们现在急需要钱，根本等不到两三年后。"他显然对我的提议不大感兴趣。

电台主持人打断我们的谈话，节目结束的时间到了，我和那位听众再也没有机会完成对话了。

我在这里提及那次电台谈话节目的原因，就是这类谈话实际上反映了我们不同的核心价值观。显然，这位听众需要钱，这一点我能够理解。大家可能也知道，我和妻子金曾经一贫如洗，甚至有好几周无家可归，所以我懂得缺钱的滋味。

然而，我和妻子金能够在不到 10 年内实现财务自由，原因就是我们懂得金钱和财富的区别。如果大家想进一步了解我和妻子金是如何从一无所有实现了财务自由的，不妨参阅"富爸爸"系列丛书之五——《富爸爸　年轻退休》。另外，"富爸爸"系列丛书之二——《富爸爸财务自由之路》，开始就讲述了我们在 1985 年无家可归的窘境，那是我们生活最为艰难的一段时光。我再次提及这两本书，只是对那些可能质疑我是否体味过一无所有、生活困窘的滋味的读者朋友一个回应。在上述两本书中，我回顾了我们摆脱财务困境的过程。可以说，正是因为深深懂得一无所有的滋味，我们才努力追求富足的生活，实现了财务自由。在我看来，没有足够金钱的日子，实在是一种糟糕透顶的生活，而且，对于我们自身的伤害绝不仅仅限于财务方面，没钱的日子考验着我们的婚姻、自信和自尊。

三种生活方式

参加那次电台访谈节目后很长一段时间，当时的那种感受一直困扰着我。我在前面章节中已经介绍过了，人与人之间的对话可以是精神与精神之间的，也可以是情感与情感之间的。显然，上次电台节目中，那位听众与我的对话完全被一种恐惧情感所左右。我能感受到他内心深处的恐惧，而那种恐惧又反过来影响着我。我非常了解那种恐惧。

本章讨论的价值是关于感受的，我和妻子金都认为，在涉及金钱的时候，存在三种感受，与之对应的是三种不同的生活方式。它们分别是：

1. **恐惧的感受。** 当我和妻子金无家可归、身无分文的时候，恐惧感左右了我们，这种恐惧感是那样强烈，以至于我们的整个躯体都完全麻木了。那次电台访谈节目结束后，我也有这种感受。其实，这种感受我早就在童年时代体味到了，爸爸、妈妈在他们婚姻生活的大部分时间里都很贫穷，常常手头没有钱。可以说，缺钱的感受笼罩了我大部分的童年时代。

2. **愤怒与挫折的感受。** 第二种生活方式就是从起床到工作，都充满了愤怒与挫折的感受，尤其当你更愿去做其他事情的时候。一个生活在这种感受中的人，可能拥有很好的工作，薪水丰厚，但是却不得不整日劳碌、奔忙，这也是他们产生挫折感的根源。他们明白，如果自己停止工作，就根本无法维持正常生活。这些人可能会说："我没法停止工作，如果我停止工作，银行就会来拿走我的所有东西。"他们的口头禅是，"我不得不继续工作，直到下一个假期到来"，或者"幸好，我离退休只有不到10年时间了"。

3. **快乐、安宁和惬意的生活感受。** 第三种生活方式就是，生活在一种平和的心态中，懂得无论自己是否继续工作，都会持续不断地得到一大笔丰厚的收入。1994年，我和妻子金出让了自己的企业，提早退休，从那时到现在，我们就一直过着快乐、安宁和惬意的生活。我们实现了财务自由、安然退休的时候，我47岁，妻子金37岁。对我来说，这是一种感受，是一种值得努力争取的生活方式。虽然我们现在还做一些工作，但是，那绝对不是被迫去工作。相反，我们随时都可以停止工作，而且，只要我们健在，就会有一笔丰厚的稳定收入。这种感觉实在棒极了！

金钱与财富的不同

在前面提及的那次电台访谈节目中，我想对那位听众说，如果他仍然为了金钱去工作，那种烦恼就永远不会结束。我建议他与妻子业余开办一家直销企业，这也许是他能够获取财富，而不是争取更高薪水的工作的绝佳机会。听到他辩解说："噢，我们也曾经留意过直销业。可是，他们不能付给我任何钱，他们希望我在赚钱之前，先工作两三年。问题是，我们现在就急需要钱，根本等不到两三年后。"我心里明白，为了改善生活质量，他实在需要改变自己的价值观。也就是说，我坚信在直销企业中，他和妻子将会最终获得更多的金钱，找到一种全新的生活。而如果不改变自己的核心价值观，他们将来的日子可能依然充满了愤怒和挫折感，因为他们选择的是为了金钱工作，而不是为了财富工作。

财富的涵义

在"富爸爸"系列丛书的前面几本中，以及其他"富爸爸"系列产品中，我曾经讲过，衡量财富的标准并不是金钱，而是时间。我们的财富定义是：

财富是停止工作后，将来能够维持生活的时间的长短。

我认为，衡量个人财富的标准是时间。比如，如果我名下的存款有 1 000 美元，每天的各项生活开支是 100 美元，那么，我的个人财富就是 10 天；如果我每天的各项生活开支是 50 美元，那么，我的个人财富就是 20 天。当然，上述例子是对财富极其简化的解释，我们只是想说，衡量财富的标准并不是金钱，而是时间。从某种意义上讲，健康与财富有相通之处。我们都听说过医生对病人说："你的生命只能维持6个月了！"其实，医生就是以存活时间为标准来评估病人的健康状况的。我听到某人介绍自己糟糕的财务状况时，说"两个月以来，我一直靠借债维持生活"，也就是说，他实际上是靠借款、借未来的时间生活的。

据说，普通的美国家庭至少需要拥有三份薪水才能远离财务危机。如果平均每份薪水能够维持两周，也就是14天，这意味着普通美国家庭拥有的财富是42天。此后，他们的生活水准就被迫大大降低。这就是为了金钱工作，而不是为了财富而工作所面临的问题。

在继续下面的话题之前，大家也许想问一下自己："如果我（假如已婚，那就是你与配偶）现在停止工作，我（我们）经济上还能够维持多长时间？"问题的答案就是你现在拥有财富的多少。如果现在停止工作，个人财富反而大大增加，那对你来说就绝对是个好消息。

直销企业教大家为了财富而工作

我在研究各类直销公司期间，感到演讲者必须解释的一个最难的价值点，就是为了金钱而工作与为了财富而工作两者之间的区别。在我参加的一次直销会议上，一位客人举手问道："我将来可以赚到多少钱呢？"可惜，会议主持人并没有详细解释创建一家企业与从事一份稳定工作的区别，特别是为了金钱工作与为了财富工作的区别。我猜想，当时在场的多数人对于得到的回答可能都感到困惑、失望。

对于客人的这个疑问，他们的一种回答是："你的收入是无限的。"问题是，与会的大多数人并不是在寻求无限的财富，而是在寻求每月额外赚取 1 000～3 000 美元的机会。在我看来，他们基本上还是在追求金钱，而不是财富。也就是说，这里有两类不同的金钱：一类来自于工作，一类来自于资产。如果你想终身辛劳，那就去为了金钱而工作，实际上绝大多数人就是这样做的。

当会议主持人说"好了，如果无论工作与否，各位想每月多赚 3 000 美元，那么自己后半生将会多赚到多少钱呢？"虽然大家反应热烈，但是，我估计很多人都认为这不大可能。另外，他们大多只想着下个月能多赚 3 000 美元，而不会去免费工作几年时间，创办一个企业，从而获得持续的现金流。我猜，当时在场的很多人可能仍然像自由职业者或者雇员那样思考，他们为了钱而工作，而不像企业主和投资者那样为了从资产中获得财富而工作。

不同种类的金钱

富爸爸越来越富有的一个原因，就是他为了另外一种金钱而工作。下面是有关财务报表的简要图表说明，也许有助于大家理解这种区别。

收入
开支

资产	负债

如果大家不太熟悉这个关于财务报表的图表，或者想进一步了解的话，不妨参阅《富爸爸，穷爸爸》一书，或者向读过该书的朋友讨教。这是需要大家掌握的一个非常重要的图表，也是我从富爸爸那里得到的许多教诲的核心。正如富爸爸常常所说，"银行家从来不管我当年在校时的成绩单，他要的是我的财务报表"，"离开校门、走上社会之后，财务报表其实就相当于你自己的成绩单，它足以衡量你自己的财商"。因此，这个图表对于渴望实现财务自由、获得巨额财富的人来说非常重要。

关注点不同

运用财务报表，可以更好地解释各个现金流象限的区别。在现金流象限中，左右两侧象限的区别就在于它们关注点、着眼点不同。通过下列图表，可以帮助大家认识到两者之间的区别。

简单说来，E 象限和 S 象限人们的主要关注点在于：

收入
支出

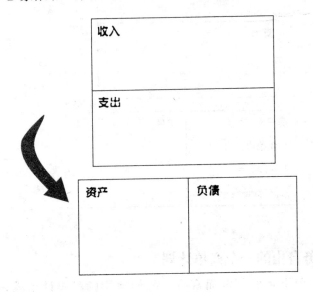

B 象限和 I 象限人们的主要关注点在于：

你还在为金钱而工作吗？

上述图表显示，现金流象限左右两侧人们的主要区别在于，E 象限和 S 象限的人主要为了金钱而工作，相反，B 象限和 I 象限的人主要为了建立或获取资产而工作。因而，处于 B 象限和 I 象限的人的财富远远高于 E 象限和 S 象限的人。如果 B 象限和 I 象限的人暂时停止工作，他们的资产仍然可以继续为他们工作，源源不断地为他们带来金钱。

三种资产

在现金流图表中，主要有三种资产：

收入	
支出	

资产	负债
1. B 象限企业	
2. 房地产	
3. 有价证券	

实现财务自由的一个简单计划

我和妻子金退休时年轻而富有，我们运用的简单计划就是先创办自己的企业，接着又投资房地产。正如前面向大家介绍过的，在 1985 年到 1994 年之间，我们白手起家，最终实现了财务自由，并且从来没有购买过任何一只股票或共同基金。这就是我们的简单致富计划，而且我们落实了自己的计划。

曾经有人问我："你为什么第一步就是要建立自己的企业呢？"针对这个问题，我有三点理由：首先，创办企业可以为我们带来可观的利润。在本书的开始，我列举了人们致富的 11 种途径，比如为了钱与某人结婚。对于我和妻子金来说，最好的致富之路就是建立自己的企业；其次，美国税法对于处在 B 象限的人非常有利，而对于处在 E 象限的人非常不利；最后，建立企业、投资房地产，的确是很多富人遵循的发财之路。

我投资房地产的方法

2000 年股市暴跌之后，很多人开始真正醒悟过来：原来股市和共同基金都存在很大风险。接着，不少人开始考虑是否要投资房地产。问题是，很多人没有足够资金来投资房地产，也无力在房产非常昂贵的地区生活。现在，经常有人问我："在我的收入勉强能够缴纳房租的时候，怎样才能投资房地产呢？"

对于诸如此类的问题，我的回答往往大同小异，我说："继续做着你现在手头的工作，并开始着手创办自己的业余公司。一旦这个公司开始赚钱，接下来的一步就是继续做自己现有的工作，然后用你从业余公司赚取的额外收入投资房地产。通过这样的步骤，你就开始建立了个人的两种资产，而不必为了赚钱一辈子工作。"

三种智慧

取得财务成功需要接受三种不同的教育，即学校教育、职业教育和财务教育，同样，要想在现实世界中取得财务成功，也需要具备三种不同的智慧，如下：

1. **智商**。一般说来，学校经常要评估个人智商。

2. **情商**。据说，情商要比智商的作用强大 25 倍，情商发挥作用的例子有：保持冷静，而不是去争吵；不与那些将来不会成为自己生活好伴侣的人结婚；追求长期效益，而不是短期效益。

3. **财商**。富爸爸曾经说过："财商是通过个人财务报表来衡量的，衡量个人财商的具体标准有好多项，比如你赚到多少钱、拥有多少钱、那些钱为你工作的程度怎样、你能将钱遗留给后面多少代人，等等。"

很多聪明人没有成为富人的主要原因

很多像穷爸爸那样的聪明人，即便他们拥有很高的智商，在学校表现出众，后来却没有成为富人，原因就在于他们缺乏积累财富、达到财务自由所需要的财商。财商较低的基本特征有四点，分别是：

1. **他们的致富之路过于缓慢，他们在这场金钱游戏中过于谨慎**。由于处在 E 象限，他们往往需要缴纳高昂的个人所得税。同时，他们不是去理性投资，而是将自己的钱存进银行，赚取微不足道的利息。不幸的是，即便这一丁点儿利息，也仍然要按照最高税率纳税。

2. **想一夜暴富**。这类人缺乏耐心和恒心，他们往往频繁变换工作，不断改变主意。他们做一件事情的时候，往往很快就感到厌倦，接着就放弃了。

3. **凭着一时冲动花钱**。这类人最喜欢的事情就是出去购物，他们不断地消费，直到身无分文。如果有了一点钱，他们很快就会凭着一时冲动花光。这类人的口头禅是："钱好像只是从我这里过过手，就消失得无影无踪了。"

4. **不能坚持拥有任何真正有价值的东西**。也就是说，这类人只会拥有一些让自己更加贫穷的东西或工作。比如，我曾经遇到过一些房地产投资者，他们在应该持有这些房地产投资项目的时候，却抛售了这些项目，拿到了一笔收益，用来偿付信用卡欠款、学生贷款，或者购买游艇、出外度假。可以说，他们最终持有的都是一些没有多少价值的东西，而他们抛售的却是真正有价值的东西。

这类人大多不愿意建立一家企业，他们更乐意为别人工作，为自己从来不会拥有的东西整日劳碌、奔忙。他们内心的恐惧感非常强烈，以至于更愿意为了所谓的安稳而工作，而不会为了将来实现财务自由而工作。

情商是财商的基础

本章一开始，我就回顾了自己参加一次电台节目的经历。我之所以将这段经历放在篇首，就是因为那位听众在情感上已经失控。显然，他非常聪明，但是，他的情感让自己不能理性地分析、思考问题。如果大家不能完全控制自己的情感，顺利解决个人财务问题的几率就会大大降低。

简单说来，在现实世界中，如果你想成为富人，情商也许比智商更为重要。拥有高情商，是拥有高财商的基础。美国最富有的投资家沃伦·巴菲特曾经说过："一个不能管理好自己情感的人，肯定无法管理好自己的资金。"

年轻的时候，我是一个不大积极主动的人，处理任何事情的态度都是"得过且过"。这也是我直到47岁时才实现了财务自由的原因之一。无论什么时候，只要我出了问题，情感上难以控制，比如幻想一夜暴富或者受到打击后打算放弃，富爸爸总是劝导我说："等你变得成熟一些，再回来找我，我会教你怎样致富。"

你想提高自己的情商吗

根据我的个人经验，情商越高，生活就越好。作为一名前海军陆战队队员，我不仅非常容易冲动，而且养成了火暴、急躁的性格。从越南回国后，富爸爸对我说："你火暴、急躁的性格也许可以让你在越南幸存下来，而在商界却可能置你于死地。"富爸爸极力建议我，如果我想提高自己的财商，就应该不断提高自己的情商。随着我对自己情感控制力的提高，我的商业技巧和投资技巧也得到了提高。甚至通过改善自己的性格（尽管有时候还不尽如人意），我个人的健康状况也得到了提高。提高情商的首要一步，就是承认自己需要提高情商。

假如大家像我一样，都稍微有些情绪化，那么，直销企业也许是锤炼自己的最佳场所。在我看来，直销企业的最大价值之一，就是它能够开发、培养大家的情商。每次当你与那些辞职者、撒谎者打交道的时候，当你克服了自己内心的恐惧、失望、急躁以及挫折感时，你的情商都能得到提高，你也就成为了一个更加完美的人。也就是说，直销企业是一个让你自己更好地了解自己、不断提高自己的好地方。

大家不妨试着问一下自己：我的情商对自己的生活构成了怎样的影响？我的情商让自己成了一个 _____ 的人？

1. 过于害羞；

2. 害怕被人拒绝；

3. 缺乏安全感；

4. 过于武断；

5. 过于暴躁；

6. 痴迷于某件事情；

7. 太冲动；

8. 易发怒；

9. 行动迟缓，没有变化；

10. 懒惰；

11. ＿＿＿＿（自己填写）。

直销企业的重要价值之一，就是检验人们的情商，而且在很多情况下，它都能大大提高人们的情商。一旦提高了自己的情商，就可能会改善自己在其他领域的境况，你发现你能够更容易与人们交流，能够更清晰地表达自己，也能更有效地控制自己的情感，等到你在这些方面做得更好，你的事业也就会得到更快的发展。有了更大耐心，就更有可能成为一名出色的投资者。如果你已经结婚，或者打算结婚，通过培养自己的情商，婚姻生活也会得到改善，而且，我们大家都懂得婚姻生活是多么的情感化。你也可能成为一名更优秀的父母，培养更优秀的孩子。因而，我认为花几年时间建立一个直销企业，可能会给自己生活的许多方面带来好处。为什么这样说呢？因为生活本身就非常情感化。

更美好的婚姻生活

对于我和妻子金来说，实现财务自由的计划对于我们的婚姻至关重要。尽管我们开始时一无所有，但我们有两人可以共同为之努力的计划。可以说，处理企业发展过程中的起伏变化，向我们的婚姻提出了很多挑战。不过，这些经历最终让我们的婚姻更加稳固。我们一起承担风险，承受损失，共同庆贺自己所取得的成功。

正如前面曾经介绍过的，我们的计划非常简单。1985 年，我和妻子金开始建立自己的企业，白手起家。1991年，我们在自己的企业获得丰厚利润不久，开始涉足房地产投资。1994年，我们出让了自己的企业，买进了更多房地产，实现了财务自由，并很快退休了。那是一个简单计划，它让我们的生活变得更加单纯、幸福。正如大家所知道的，金钱是引起很多家庭不和的主要原因之一。现在，我和妻子金的婚姻生活非常幸福，不仅因为我们现在拥有一大笔金钱，而且因为我们一起建立了自己的企业。我们两人之间不是渐行渐远，而是随着情感上更加成熟，我们的关系变得更加紧密。我曾经听到很多人说："噢，我再也不愿意与丈夫一起工作了！整天和他待在一起，我简直受不了！"然而，我却要真诚地告诉大家，如果没有金的帮助，我就不会取得今天这样大的成功；如果我与金没有在同一家公司工作，没有做同样的工作，我们就不会有这么美满的婚姻；如果我们不在一起工作，我们两人的感情可能会慢慢疏远。共同创业、投资让我们婚姻基础更加稳固，因为在这些过程中，我们有了更多机会化解分歧，密切联系，彼此加深了解，这使我们更加尊重对方，感情更加成熟稳固。后来，我们都感觉我们的婚姻生活更加幸福了。对于我来说，这些东西都无比珍贵。现在，尽管我们两人之间也有一些分歧，但是我们都明白，与我们彼此之间的爱相比，这些分歧实在微不足道。可以说，如果两人拥有美满的婚姻，一定是主要得力于两人的情商，而不会主要得力于当年优异的考试成绩，更不会得力于他们拥有能赚很多钱的好工作。

一些曾经成功的直销商最终失败的原因

多年以来，我遇到过一些创造了巨额财富的非常成功的直销商，也遇到过一些创办了庞大的企业、最终却满盘皆输的直销商。为什么直销商之间会形成这么大的反差呢？答案仍然在情商上面。

其中，发生在一位名叫雷的直销商身上的案例就非常典型。雷住在加利福尼亚州南部，大学毕业后他加盟了一家保健食品连锁店，并很快担任店面经理。雷拥有生物化学专业学位，他对保健食品非常感兴趣。一天，有位顾客走了进来，向他展示了一种健康食品系列。雷尝了尝那种食品，感觉非常好。他随即跑到老板那里，问自己的店里能否也出售这种食品。老板一口拒绝了。冲动之下，雷辞掉了手头的工作，投身于这家直销企业。

雷用了整整3年时间，学习、钻研直销业务。在度过几年经济困难之后，一切忽然变得好了起来，与此同时，他还让自己的思想观念从E象限转换到了B象限。他的企业发展势头迅猛，不久，他每周赚到的钱要比过去在那家保健食品店每年赚到的钱还要多。

很快，雷就站在讲台上，向刚刚涉足直销业的新手们传授经验，他本人已经成了一名耀眼的新星。不过，由此引起的问题接踵而来，他的脑子里逐渐充满了表演欲望，他变得傲慢自大，夸夸其谈，情商明显不足。他开始与当初向自己传授直销知识的人争辩，觉得自己更高一筹，因为自己拥有更漂亮的车子和房子，免税现金收入也滚滚而来。到了这个时候，他的脑子里只有金钱。

就在这个时候，一家新直销企业创办起来了。他们也拥有出色的保健产品系列，正在急切寻找像雷这样的直销明星来加盟自己的企业。没过多长时间，他们就如愿以偿，说服雷离开自己亲手创办的直销企业。雷之所以离开自己创办的企业，主要是为了抢得先机，更快建立一个规模更大的企业。雷本人"跳槽"的时候，还带走了自己团队的很多人。

3年后，雷重新变得身无分文。为什么呢？我认为，答案主要有两点：首先，新公司的老板仍像雷一样，没有耐心，容易冲动，他们都想更快致富；其次，新公司的老板同样拙于资金管理，热衷于享受，好做表面文章，夸夸其谈。他们不是把利润再投资到自己的企业或房地产上面，不是获得真正的财富，而是购买了一大堆显示自己富有的东西。大家是否还记得，本章前面曾经提到，有些穷人常常为自己拥有的真正有价值的东西感到不安，急于抛售。我认为，雷和这家新直销企业的老板其实与这些人并无二致。因而，他们购买来的并不是真正的财富，相反，他们花钱买跑车、泡女人，自己的企业却很快陷于困境，并且最终破产。人以类聚，物以群分，他们都属于同一类人。

如今，雷依然奔波于一家又一家直销企业之间。每次遇到他，他总是又有了一次新商机。雷学会了创办直销企业，却没有在这个行业中取得成功，他失败的原因就在于让自己的情感左右了自己的思考。

千万不要做一只跳个不停的"青蛙"

当然，我并不是说在直销企业之间"跳槽"就是错误的。我知道这种"跳槽"的情况经常发生，很多人就像雷一样，从一家公司换到另一家公司，追求十全十美的企业和产品系列，希望能够轻轻松松地赚到大钱。很多人都是这样，这是因为他们没有培养自己的情商。在我看来，培养自己的情商是投身直销业的主要原因之一。也就是说，你完全可以离开一家直销企业，但是要有正当的理由，而不是纯粹出于情感的原因。对于青蛙来说，从一片片荷叶上跳来跳去也许是件好事，但对于企业主来说却一点好处也没有。正如我的一位朋友曾经说过的："做'青蛙'式的企业主遇到的麻烦是，你不仅要花很大工夫寻找'虫子'，还要亲自吞噬这些'虫子'。"可见，一旦找到了适合自己的直销企业，就要给企业和自己留出共同"成长"的时间。切记，千万不要做一只永不停息、四处追逐虫子的青蛙。

成功的直销商越来越成功的原因

当然，我也高兴地遇到了一些非常成功的直销商，他们很多人比我成功，甚至比富爸爸还要成功。令人欣喜的是，他们的成功模式与富爸爸教给我们的成功模式惊人的相似。具体说来，这种成功模式就是：

1. **创办一家企业**。创办一家企业通常需 5 年时间，当然这个时限可长可短。不过，企业如同孩子，需要时间来慢慢成长。

2. **对企业实行再投资**。这一点之所以重要，是因为现在很多人都像前面介绍过的那位名叫雷的直销商一样，他们都不乐意认真对待这个环节。他们不是用赚到的钱进行再投资，而是赚多少就花多少。很快，他们就可能透支消费，购买漂亮汽车、房子、服装，花大笔钱外出度假。他们不是设法帮助"孩子"成长，而是挤占（这简直相当于盗用）"孩子"的午餐费，结果让自己的"孩子"开始忍饥挨饿。

不幸的是，雷这样的人在美国各行各业中随处可见。可以说，美国富人这么少的主要原因之一，就是他们常常将"孩子"的午餐费，用来购买很多华而不实、只会满足自己虚荣心的东西。

企业如何进行再投资

作为一家传统企业，我们曾经再投资了数百万美元，改善自己创办的富爸爸网站，建立在线网络游戏"现金流101"和"现金流游戏"（儿童版），向学校免费提供游戏和培训课程。这是传统企业进行再投资的典型案例，还有一些传统企业将利润再投资于库房建设、增加货运卡车数量或者投放全国性广告上面。

在直销企业中，再投资可能意味着将自己的业务员从10人扩大到20人，也可能意味着花些时间帮助自己的下一级业务员进一步拓展业务。直销企业的优势就是，它们往往并不需要在企业本身上面再投资多少钱。

此外，我们认为，一位真正的企业家永远不会停止投资或再投资建设自己的企业。在各行各业中，很多人最终没有获得巨额财富，原因非常简单，就是因为他们没有持续地对自己企业进行再投资。

3. **投资房地产**。为什么还要再去投资房地产呢？我认为原因主要有两点。首先，现行的美国税法对于企业家投资房地产给予了很多优惠（这一点可以算是投资秘诀了）。在本书后面的附录中，我的税务顾问黛安·肯尼迪女士进一步介绍了房地产投资与直销企业如何相互支持的情况。其次，银行家更乐于向人们的房地产投资贷款。你不妨尝试一下，假如你向银行家借贷一笔30年期、利率6.5%的款项，用于购买共同基金或股票，看看他们会作出什么反应？我猜，那些银行家一定认为，你肯定是想搞垮他们的银行。

一个小小的提醒：我之所以建议大家首先要争取建立一家自己的企业，原因是进行房地产投资需要时间、教育、经验和资金。如果你现在没有额外一笔来自于B象限企业、可以获得税务优惠的稳定收入，那么，进行房地产投资就有些风险过大、时间过慢了。投资房地产时出现的任何失误，尤其是房地产管理中出现的失误，往往都要付出高昂的代价。因此没有自己属于 B 象限的企业，就进行房地产投资，风险还是有些太大了。很多人在房地产投资领域没有致富或者致富过慢，原因往往就是他们没有企业家所拥有的充裕资金。事实上，最好的房地产投资项目往往非常昂贵，需要大笔资金。如果没有充裕的资金，勉强投资的房地产项目往往会让自己血本无归。今天，我遇到了很多寻找零首付房地产投资项目的人，主要原因当然还是他们本身没有资金。而如果缺乏房地产投资的知识、经验和资金，零首付房地产投资也许就是你一生中代价最昂贵的投资。因而，我还是建议大家首先自己创办一家企业，接着对企业进行再投资，第三步才是去涉足房地产投资领域。

> **"首先自己创办一家企业，接着对企业进行再投资，第三步才是去涉足房地产投资领域。"**

4. **购买舒适的生活**。在我们婚姻生活的大部分时间，我和妻子金并没有住宽敞的房子，也没有开漂亮的豪华汽车。多年来，我们一直住在一所狭窄、矮小的房子里，每月偿还 400 美元抵押贷款，开着普普通通的汽车。同时，我们建立了自己的企业，并且开始进行房地产投资。直到今天，我们总算住进了宽敞明亮的房子，拥有了 6 部汽车。不过，我们来自企业和房地产投资的收入要远远高于上述花费。富爸爸的经验是，创办自己的企业，不断进行再投资，促使企业持续发展，接着投资房地产，然后，让这些企业和房地产投资为自己带来舒适的生活。也就是说，要努力建立自己的资产，然后让这些资产为自己带来舒适、富足的生活。

现在，我和妻子金住着宽敞明亮的房子，拥有 6 部汽车，而且我们将来依然用不着出去工作，这是因为我们拥有了自己的资产，而不是一份稳定的工作。我们今天工作，主要是因为我们喜欢自己的工作。另外，我们变得越来越富有，原因也仅仅在于我们按照富爸爸的"成功人生四部曲"，争取真正的财富，而且持续不断地积累自己的财富。我们建立了自己的企业，并对这些企业进行了再投资，接着投资了房地产，然后，利用拥有的资产为自己带来了舒适生活。

绝大多数人没有最终成为富人的原因

上述计划非常简单，可是，为什么很多人不按照该计划行事呢？在多数情况下，答案仍然在情商上面。很多人没有耐心、约束力和意愿去延缓自己的满足感，没有执行上述计划。很多人一边赚钱，一边花钱，因此，他们身上存在的问题不是智商或财商的问题，而是情商的问题。实际上，人们最容易提高的就是财商，这也就是很多在校期间成绩平平的学生后来成了富人的原因。在我看来，提高情商是提高财商的必由之路，而直销业能够为人们培养自己的情商提供极大的帮助。

购买有价证券的最佳时间

很多人问我：•"你什么时候购买股票、债券或者共同基金之类的有价证券呢？"我的回答其实就是富爸爸当年教给我的。好多年前，富爸爸对我说："最好的资产是企业。我之所以将企业放在个人投资的首位，主要是因为如果有能力拥有一家企业，它就是最好的资产。其次是房地产，第三是有价证券。将有价证券放在末位，原因是有价证券最容易购买，但在拥有的时候风险最大。如果你不相信我这种说法，不妨去找一下身边的银行家，看看他们是否愿意为你购买的有价证券提供 30 年期的抵押贷款。"

如今，我对于人们诸如此类的问题，往往都是用富爸爸当年对我的教诲来回答。将有价证券放在投资选择的末位，就是因为有价证券最容易购买，拥有后却存在着最大风险。另外一个原因是，我可以为自己的企业或房地产购买灾难保险，却很少有人听说过能为股票购买保险，我本人更不知道哪里能为共同基金购买保险，当然，也许将来某一天可以为有价证券投资购买保险。

人们感受不到工作快乐的原因

一位受过专业训练、富有经验的心理咨询师曾经对我说过："快乐的原因之一就是'控制'，如果你拥有更多的控制权，常常就会感觉更快乐。反之，如果失去了控制权，常常就会感到不快乐。"他举了一个例子，说有人赶往机场途中突然遇到了长达 1 英里的堵车，只能缓缓"爬行"，根本没有办法离开高速公路。他意识到自己赶不上航班了，愉快的心境也就荡然无存。在这里，他感到不快乐的原因就是自己无法控制交通堵塞。因此，富爸爸的结论是：控制与快乐密切相关。

回过头来，看看本章开始提到的那位听众，我觉得他并不快乐。首先因为他无法控制自己的生活，虽然他拥有自认为非常安稳的工作，但他却不能控制自己的财务状况。他还无法控制自己在股票和共同基金上的投资。在当今世界，尤其是遭受了股市危机、经济疲软以及"9·11"恐怖袭击之后，很多人感到自己控制不了什么，感到很不快乐。创办一家直销企业，接着投资房地产，这样做的最大好处就是让你能够重新控制自己的生活。如果你能控制更多，就会感到更加快乐，而快乐、幸福是我们生活中极其珍贵的东西。

小 结

总而言之，一个至关重要的问题是："你到底是为了金钱工作，还是为了财富工作？"如果大家愿意为了财富工作，我就有两条建议。大家不妨看看下列现金流象限图，让我慢慢解释一下：

利用业余时间，创办一家直销企业

玩富爸爸"现金流游戏"，学习怎样进行投资

在业余时间，如果你愿意用三五年时间从事上述两项活动，我相信你的财务未来就会远远胜过那些循规蹈矩、拥有一份安稳的工作、投资共同基金的大多数人。试想一下，如果将自己财务状况的控制权拱手相让，还能得到怎样的快乐和幸福呢？另外，如果你未来几年在 B 象限和 I 象限取得了极大成功，也就会为了财富工作，而不是为了金钱工作。

下一个价值

在下一章中，我们将要讨论如何把自己的梦想变为现实。对于那些玩过"现金流游戏"的人来说，可能还记得，游戏之前首先需要选择自己的梦想。富爸爸总是说："从梦想开始，不断地努力！"我之所以将这个价值放在后面，就是因为现在你已经知道自己能够在一生中获得巨大财富，你也许渴望着拥有更大的梦想！

第10章

核心价值之八——
追逐梦想

"很多人没有梦想。"富爸爸告诉我。

"为什么呢?"我问他。

"因为梦想需要花费金钱。"富爸爸回答说。

重新点燃自己的梦想

我和妻子金去参加一次聚会。在那里,一家直销公司的高层领导向我们展示了自己占地 17 000 平方英尺的豪宅。宅子里有一座可以停放 8 辆汽车的车库,车库里停满了各式豪华轿车,还有其他一些华贵的摆设。他的房子和华贵的摆设给我留下了深刻印象,但是,让我最难以忘怀的却是以他名字命名的街道。我问他怎样做到了这一点,他说:"非常简单,我在这里捐款修建了一所小学和图书馆,市政府因此用我的名字命名整个街道。"到了那个时候,我才意识到他的梦想远远大于我的梦想。我从来没有想到要用自己的名字命名一个城市的街道,也从来没有想到要去捐助修建一所小学和图书馆。那天晚上回家后，我意识到应该设法让自己的梦想更宏大一些了。

我发现，优秀直销企业更重要的价值观之一，就是非常强调追逐梦想。我们拜访的那位直销公司的高层领导，并不只是为了炫耀而向我们展示自己拥有的财富，而是通过展示自己拥有的生活方式，激励大家树立像他那样宏伟的梦想。因此，重要的不是宽敞的房子、华贵的陈设或高昂的费用，而是由此激发起来的人们的梦想。

谨防打消自己梦想的人

在《富爸爸，穷爸爸》中，我曾经介绍过，穷爸爸的口头禅是"我买不起"。富爸爸则不允许他的儿子迈克和我这么说，相反，他要求我们说"我怎样才能买得起"。在富爸爸看来，这些话虽然听起来很简单，实则有天壤之别。他说："向自己提出'我怎样才能买得起'，其实就是让自己拥有越来越宏大的梦想。"

富爸爸指出：一定要提防那些试图打消你的梦想的人，再也没有比朋友、爱人打消你的梦想更为糟糕的事情了。人们可能在有意无意之间，说出诸如此类的话来：

1. "你干不了。"
2. "那太冒险，你知道有多少人曾经失败了？"
3. "不要犯傻，你从哪里想出了这样的主意？"
4. "如果这是一个好主意，为什么别人以前没有这样做过呢？"
5. "噢，多年前我也曾经这样试过。好吧，让我慢慢告诉你为什么这样做并不可行。"

我注意到，那些打消别人梦想的人，往往都是些已经放弃了自己梦想的人。

梦想非常重要

对于梦想的重要性，富爸爸有自己独特的理解，他说："发财致富、买得起一座大房子本身并不重要，重要的是不断努力学习，竭尽全力培养个人能力，使自己有能力买得起那样的大房子。也就是说，最重要的是让自己成为能够买得起大房子的人。没有宏伟梦想的人，永远过着平民百姓的生活。"

> **"没有伟大梦想的人，永远过着平民百姓的生活。"**

正如富爸爸所说，房子本身并不重要。我和妻子金拥有两座很大的房子，我认为房子的大小，甚至是不是富人，本身并不重要，重要的是要有宏伟的梦想。我和妻子金身无分文的时候，就确立了一个目标：等到我们拥有超过100万美元的财富后，一定要买座大房子。结果，当我们自己的企业总值超过100万美元后，我们购买了第一座大房子。不久，我们又转手卖掉了这座房子，因为我们又确立了新的梦想。也就是说，买到房子和赚到100万美元本身并不是梦想，而只是实现自己梦想的标志而已。现在，我们再次拥有了自己的大房子，这些房子也仅仅是我们实现自己梦想的标志。现在拥有的大房子并不是我们的梦想，将自己打造成能够有大房子的人，才是我们的梦想。

富爸爸说过："大人物有大梦想，小人物有小梦想。如果你想改变自己，首先就要从改变自己的梦想入手。"当我身无分文、损失了大部分资产的时候，富爸爸鼓励我说："千万不要气馁，不要让暂时的财务挫折影响了自己的大梦想，梦想将会引领你度过这段艰难岁月。身无分文是暂时的，没有梦想却是可怕的。即便你现在身无分文，无须付出任何代价，你也可以梦想自己成为一位富人。很多穷人之所以贫穷，就是因为他们放弃了梦想。"

梦想者的不同类型

上中学的时候，富爸爸告诉我，世界上有五类梦想者，他们分别是：

1. 沉迷于辉煌过去的梦想者。 富爸爸说，很多过去曾经取得过辉煌成就的人，往往沉迷于已有的成功之中。电视连续剧《奉子成婚》中的阿尔·邦迪，就是生活在过去梦想中的典型。有人可能还不大熟悉这部电视剧，我就在这里稍稍介绍一下。阿尔·邦迪是一个成年人，却整日生活在上中学时的辉煌之中。当时，他是一个橄榄球明星，曾经在一场比赛中四次触地得分。

富爸爸可能说："一个整日沉迷于辉煌过去的梦想者，生命其实已经结束。他需要一个朝向未来的梦想，以便让自己的生命重新焕发活力。"

当然，在我们周围，并不只是那位前棒球明星生活在过去的辉煌之中。还有不少人同样沉醉于自己过去的辉煌中，比如曾经取得过优异考分、曾为某次舞会上的王子或女皇、毕业于一所名校或者有着参军服役的经历等。可以说，这类人人生中最美好的时光已经成为过去。

2. 只有小梦想的梦想者。 富爸爸说过："这类人只有小梦想，因为他们想要有一种能够实现这些梦想的自信。问题是，即便他们明白能够实现这些梦想，实际上也从来不去实现它。"

过去，我从来没有注意到这类人。直到有一天，我问身边一位朋友："如果拥有了世界上所有的金钱，你打算去哪里？"

他回答说："我想飞往加利福尼亚州去看望妹妹，我们已经14年没有见面了，我很想见到她，尤其是在她的孩子长大前。这就是我梦想的度假生活。"

我感到有些困惑，问道："不过，去加利福尼亚州只需花费500美元就足够了，你现在为什么不去呢？"

"噢，我当然想去，但不是现在。我现在太忙了！"他说。

见过他之后，我意识到这类人比我过去想像的多得多。

他们的所谓梦想都是很容易实现的，但是，他们却从来没有认真想过如何实现自己的梦想。在后半生，大家一定会常常听到他们悔恨不已："你知道，我实在应该在好多年前就去做这件事情，却从来没有好好去做……"

富爸爸指出："这类人往往最危险，他们就像乌龟那样生活着，平日蜷缩在龟壳里。如果你敲击龟壳，它们往往会突然伸出头来咬你一口。"这里的教训就是，让做梦的乌龟继续做梦去吧，它们常常什么地方也不会去。只有小梦想的梦想者，他们的处世方式与这些乌龟实在像极了！

3. **实现了自己过去的梦想，却没有确立新梦想的梦想者。**一位朋友曾经对我说："20年前，我梦想当一名医生。现在，我终于成了一名医生，却对自己的工作、生活感到非常厌倦。我享受着做医生的乐趣，也失去了很多东西。"

上述例子非常典型，这位朋友成功实现了自己做医生的梦想，却仍然生活在过去的梦想当中。实际上，产生厌倦情绪往往就是一个标志，预示着你应该确立新梦想了。对此，富爸爸可能会说："很多人从事着自己中学时代梦想的职业，问题是他们中学毕业已经多年，到了该确立新梦想、进行新冒险的时候了！"

4. **有着大梦想，却没有具体计划实现这些梦想，因而最终一无所获的梦想者**。我想，大家肯定明白哪些人属于这一类。他们常常会说：

"我刚刚有一个好想法，让我来告诉你我的新计划。"

"这次的情况有所不同。"

"我想更加努力工作，付清欠款，进行投资。"

"我刚刚听说有一家新公司落户在这里，他们正在寻找像我这样条件的人。这可能是我的好机会。"

富爸爸说过："几乎没有人能够独立实现自己的梦想。这类梦想者向往实现非常宏大的目标，却想单打独斗、凭借个人力量实现这些目标。这类人应该一边保持自己的大梦想，一边制定切实计划，寻找能够帮助自己实现梦想的团队。"

5. **拥有大梦想，逐步实现了这些梦想，并且又有了更大梦想的梦想者**。我们大多数人都可能希望成为这类梦想者，至少，我自己这样想。

在观察、分析直销企业的过程中，最让人感到振奋的事情之一就是，我发现自己拥有了更大的梦想。直销企业鼓励人们胸怀伟大梦想，并努力实现这些伟大梦想。相反，很多传统企业并不希望人们拥有个人梦想。

很多时候，我都遇到这样一些人，他们的朋友往往扼杀了他们的梦想，或者他们本人就在一些扼杀员工梦想的企业中工作。我非常支持直销业，因为这个行业中聚集了一大批人，他们真正想帮助别人胸怀伟大梦想，然后帮助他们制定具体商业计划并提供培训，促使他们梦想成真。

小 结

如果你是一位胸怀宏大梦想，也乐意帮助别人实现宏大梦想的人，那么，直销业对你就再合适不过了。你可以首先利用业余时间开办自己的直销企业，伴随企业的成长，你也可以帮助别人利用业余时间开办个人企业。可见，拥有一家个人企业很有意义，而且，乐于助人者最终自己也会梦想成真。

你的伟大梦想是什么

这一次，你首先应该稍微思考一下，然后写出自己的梦想。请你认真反思，在下面的空白处详细开列出自己的梦想。

_____

_____

_____

_____

_____

_____

_____

_____

等到在纸上写出自己的梦想，你也许想与那些全力支持自己的人讨论。那个人也许就是将本书送给你的人。

其他一些价值

到此为止，我已经介绍了我认为的直销业所具有的八种潜在价值。接下来的附录中，我们还要介绍另外三种"潜在价值"。我生命中极其重要的三位女性，撰写了这三种"潜在价值"。她们认为，这些潜在价值在创办企业时非常重要。

第一位女性是我的妻子金，她介绍了直销企业对于婚姻的价值。

第二位女性是我的商业合作伙伴、"富爸爸"系列丛书的合著者莎伦·L·莱希特女士。她介绍了创办一个家庭企业的影响。她的儿子菲利普任职于我们的富爸爸网站，现在已经成为网站极其宝贵的财富。而且，莎伦本人也是一位非常聪慧的职业女性，在教育、指导儿子取得更大商业成功的过程中作用很大。

第三位女性是我的税务顾问黛安·肯尼迪女士，她将要介绍在合法避税方面，业余直销企业所拥有的潜在价值。正如大家熟知的，纳税是我们每个人一生中最大的一笔开支。如果在纳税方面节约一些资金，就意味着我们可以有更多资金投入到自己的企业、投资项目或者生活中去。

附录1
核心价值之九——
对于婚姻的意义

　　1984年2月，我和罗伯特在檀香山市结婚。新婚之夜，罗伯特问我："你一生想做些什么？"我回答说："我想有朝一日拥有自己的企业。"当时，我正经营着檀香山的一家杂志。听了我的话，罗伯特说："如果你真想创办自己的企业，我就会把富爸爸教给我的东西传授给你。"当月，我们两人就共同创办了一家新企业，这也是我第一次与别人合办企业。

　　我们设计了一种独特的徽标，并把它绣在衬衫和夹克上面。然后，我们跑遍了整个美国，推销新产品。创办这家企业的真实目的，就是为我们自己提供长达1年的教育（出席全美各地的商业讲座和会议），同时，我们也为即将创办的第二家企业做准备。很快，我们完成了自己的1年目标，关闭了那家衬衫与夹克厂。

　　1984年12月，我们卖掉了自己在夏威夷的所有东西，前往加利福尼亚州南部，创办了另外一家企业。不过，短短两月，我们过去的所有积蓄就已经化为乌有。我们身无分文，常常敲开朋友家的门，请求能够借住一夜。好几次，我们在海滩上甚至在借来的旧丰田汽车上过夜。家人、朋友都认为我们疯了，有时候我们甚至也认为自己疯了。

坦率地说，如果没有对方，真不知道我们能否度过这段难关。好多夜晚，我们彼此相拥，想为对方多遮挡一些风寒。当时，我害怕、不安了吗？当然。我曾经想过自己可能难以度过这段艰难日子了吗？是的，一点没错！但是，我们决定迎难而上，继续向前。我们做到了！

促使我们前进的动力，就是我们创办自己企业的决心，更重要的是，我们不愿意再回头去别人的公司领取一份薪水。当时，找一份工作非常容易。然而，对于我们来说，那就是倒退。我们明白自己想要得到什么，只是不能确定如何得到这些。（这似乎成为我们生活中的主题。）

我们行为的底线是绝不退缩。我们仍然执著坚守自己的梦想。最终我们建立了自己的企业———一家在 7 个国家开办的国际教育公司。1994 年，我们转让了那家公司。现在，我们的时间主要用于投资和与"富爸爸"相关的业务上面。

我真正想要得到的东西

新婚之夜，我没有告诉罗伯特一件事情。那就是，除了要创办自己的企业之外，我还希望自己的生活伴侣也是自己的商业合作伙伴。创办企业是一件非常耗费精力的事情，我希望与自己的生活伴侣一起成长、发展，避免因为我们两人彼此见不到对方、关注点不同或者投身不同的事业方向，而导致最终分道扬镳。我不愿意像很多已婚夫妇那样，把家里当做餐馆，除了默默吃饭，彼此间没有什么话题可聊。

罗伯特和我的谈话或者非常轻松愉快，或者充满柔情蜜意，或者针锋相对，或者灰心丧气……但是，我们彼此总感到有好多话要说。在我看来，自己最大的回报莫过于伴随企业发展，借助罗伯特的经验，自己也在不断成长。

个人成长

现在回想起来，可以说创办企业的第一年是我们生活中最糟糕的一段时间。我感到压力极大，自尊心受到打击，我们两人的关系也并不总是风平浪静。当然，从另一个方面看，那也许又是最好的事情。经历了这些艰苦磨炼，我们才有了今天。我们两人都变得更加坚强、自信，一些经验教训也让我们变得更加智慧。另外，我们婚姻生活中的爱、尊重和快乐也超出了自己当初最大胆的想像。

一起工作

在直销领域中，我看到很多夫妇共同创办自己的企业。在我看来，直销企业是那些希望一起工作的夫妇们的最佳选择。主要原因如下：

1. 直销企业是你们两人可以利用业余时间共同创办的；
2. 你们可以根据自己的计划，决定工作时间；
3. 直销业支持家人一起工作；
4. 直销业中很多最成功的人往往都是夫妇；
5. 很多直销公司提供的培训能够令夫妇两人共同学习、共同提高。

夫妇共同从事一项工作能够带来很多好处。平心而论，与自己伴侣共同工作并不总是件容易的事情。但是，我要说，能够一起工作是对我们最大的回报。我们共同创办了数家企业。几年前，我们也曾经讨论、分析过，我们两人各自负责不同领域的企业或许更好一些。但是，几经权衡之后，我们清楚地认识到，我们两人都想一起建立共同的企业，而不是分头去做。

在我看来，重要的是我们两人拥有共同的价值观、目标以及终极使命。由于经常一起学习，我们也在共同进步。我们甚至还立了一个规矩，如果一个人参加了一次培训课程或者会议，那么就要与对方分享。我们经常讨论自己的企业，筹划让企业发展更好的措施，会见新人，摸索新创意，这都是些有趣的经历。

我承认，与自己的伴侣一起工作并不适合所有人。但是，我自己实在不愿意有其他选择。

金·清崎

附录2
核心价值之十一——
组建家庭式企业

在本书中，罗伯特和我简单介绍了开办一家直销企业的主要好处。大体说来，主要有如下几点：

1. 创办一家直销企业门槛较低，所需费用很少；

2. 很多直销企业无须从业人员接受过正规教育，或者拥有大学学位；

3. 直销企业向所有人开放，无论性别、种族或年龄如何，都可以参与进来；

4. 公司提供了一个现成的体系，这个体系已经证明是成功的，大家都可以运用它建立自己的企业；

5. 很多直销公司提供了良好的教育、培训计划，帮助大家成功；

6. 很多直销公司拥有一批已经在本行业取得成功的指导老师

或者顾问，他们可以帮助你创业；

7. 大家可以一边从事目前的工作，一边利用业余时间开办自己的直销公司；

8. 直销企业家可以获得很多纳税优惠，而普通雇员不可能享受这些纳税优惠。

此外，直销企业还有一个优势或者价值，那就是一个成功的直销企业给家庭带来的独特价值。在这里，根据罗伯特的要求，我打算简单介绍一下直销企业对家庭的影响。

我的家庭

对我来说，家庭是最重要的，我的丈夫迈克尔，孩子菲利普、谢利和威廉是我自己生活的中心。在我们婚姻生活早期，我和迈克尔都在专业上非常成功，然而，由于各自工作需要，我们两人在孩子身上所花的时间越来越少。我们都是工作狂，我们知道，必须作出某些改变了。

迈克尔的工作时间越来越长，我还是想方设法多陪陪孩子。我感到很幸运，能够将自己的职业与母亲的角色结合起来。比如，孩子们还小的时候，考虑到他们缺乏阅读兴趣，我就跟随一位为孩子们制作有声读物的朋友工作。

我的大儿子菲利普升入了大学，可是不到第一学年的 12 月，他的信用卡就已经透支，我听说后感到非常沮丧。作为一名注册会计师，我总以为自己已经向孩子们传授了一些理财知识。但是，儿子的所作所为表明，我以前的工作并没有做好。反思之后，我就将自己的关注点转向了在学校教育系统中增加财商教育。

尽管孩子们与我相处的时间增多了，但是，他们与爸爸待在一起的时间仍然非常有限，我们很少有机会全家人一起度假。我们在事业上可以说非常成功，按照传统的标准，我们已经成了富人，我们付出的代价却是与家人待在一起的时间。我们很多朋友（如果不是绝大多数的话）的生活情形都是这样：在专业领域越成功，与家人待在一起的时间就越少。不过，我们都对这种家庭生活模式习以为常。

3 年后，迈克尔将我介绍给罗伯特。从此以后，一切都改变了。

富爸爸与我们家

在与罗伯特一起开发"富爸爸"系列图书、游戏和其他产品的时候，我和迈克尔有机会让孩子们也参与进来，并亲眼目睹了他们生活发生的巨大变化。富爸爸的教诲将给他们的一生带来莫大帮助，而且，由于一起工作、学习，我们与孩子们的关系也更加密切了。

大儿子菲利普成了富爸爸团队中的重要一员，我们深感自豪。与他一起工作、眼看着他在我们公司不断成长、进步，我们感到非常欣慰。富爸爸曾经说过，工作是为了学习，而不是为了赚钱。菲利普遵照这个教诲，培养、积累自己的经验和知识，帮助公司迈上了一个新台阶。不过，我们自己最大的收获还是，为了共同目标而学习、工作的同时，我们的家庭关系变得更加稳固了。

与孩子们一起分享富爸爸的教诲，看着他们逐步领会、提高，这种体验简直令人难以置信！它已经成了我们的"家庭作业"了。

创办自己的家庭企业

创办自己的家庭企业，与直销之间又有什么关系呢？近年来，我有幸结识了很多在直销领域非常成功的个人和家庭，我发现他们有一些共同特点：

1. 整个家庭成员都很关注直销；

2. 他们都非常重视自己的业余时间，当然，事业成功也让他们有更多时间陪伴家人；

3. 孩子在与父母一起接触直销的过程中，体会到了直销业的优势；

4. 与我们相比，他们安排的家庭度假和家庭商务旅行要多得多；

5. 他们的孩子们从小就懂得被动收入与财商教育给自己带来的好处；

6. 孩子们往往自行选择参与直销；

7. 大多数人确立了家庭的共同目标，家庭成员们也为此共同努力；

8. 往往由夫妇中的一方继续从事自己原来的全职工作，另一方则兼职创办自己的直销企业；

9. 直销业的自身特点进一步促进了家庭的团结和稳固。

真正衡量财富的标准是时间，而不是金钱

在孩子们的成长阶段，我没有足够时间陪伴他们。现在，他们都已经长大成人，我才真正体味到以家庭为中心的价值，而这

种价值正是被很多直销业中的成功人士长期以来所强调的。对我们来说，能够与家人一起创办自己的企业，而不是"为了"家人去创办自己的企业，该是一件多么珍贵的礼物！

富爸爸用时间界定财富，而不是用金钱界定财富。因而，一个人越成功，就越有更多的时间和自由陪伴家人。

如今，出现了这种以家庭为中心的商业模式，实在可喜可贺！或许家人也能从共同的成功中，分享到爱与和谐的礼物！

莎伦·L·莱希特

附录 3

核心价值之十一——
运用富人们的纳税窍门

在纳税方面，富人是不是拥有一种不大合理的优惠呢？可能是这样，因为美国政府制定税务法就是为了鼓励两种行为，即创办企业和进行房地产投资。事实上，要想充分利用现有税务法的优势，最佳途径便是按照政府的愿望行事，创办自己的企业或者投资房地产。而这些事情似乎正是富人们的"专利"。

创办一家业余企业

当然，并不是所有人都可以辞掉眼前的工作，全力以赴创办自己的企业。很多人发现，要想额外得到一笔稳定收入，关键就是要创办像直销企业一类的个人企业。一旦按照政府的指导方针创办了自己的企业，随着将个人开支打入企业成本，你就能获得一系列纳税优惠。当然，这样做也需要一些技巧。

首先，你必须证明自己确实拥有一家企业。美国国税局希望看到你拥有一家合法的企业，而不是单纯为了逃避个人开支而虚设的一个空壳公司。也就是说，他们希望了解你开办企业的真实意图。

为了证实自己确实拥有一家企业，你需要向美国国税局表明：

1. 完全按照企业规范运作；

2. 你会投入时间和精力，努力让企业赢利；

3. 已经或即将获得一笔稳定收入；

4. 假如企业曾经亏损过，它们或者属于正常亏损，或者属于你无法控制的；

5. 为了赢利，你正在不断采取新措施；

6. 你本人或者你的顾问们拥有企业所在领域的相关知识；

7. 已经在本领域获利，或者有望将来随着资产升值而获利。

只要你能够证明自己正在努力使企业赢利，那么，在企业创办后的好多年里便容许出现亏损。这些亏损可以抵消自己纳税申报单上的其他收入，从而减少自己的纳税额。

寻找可能获得的企业纳税减免

找到了自己潜在的企业纳税减免时，才有可能从自己创办的业余企业中真正获得纳税优惠。其中一条原则是，永远不要单纯为了获得企业纳税减免而去采购。如果纯粹为了获得 40% 的纳税减免，而去购买正常情况下自己根本不会购买的东西，其实就相当于浪费了 60% 的资金，并不是一件很划算的事情。

相反，你要想方设法寻找原本属于个人开支，而现在可以当做企业开支的项目。美国国税局制定的《美国国内税收法》

(Internal Revenue Code)第162款a条，仅仅用了几十个词，告诉我们哪些个人开支可以划归企业开支：

> "在纳税年度中，任何商业或企业行为产生的所有正常与必要的开支，都可以作为企业开支，获得纳税优惠。"

这里所谓"正常开支"与"必要开支"的定义是：

> 正常开支　指的是通常进行商业活动所需要的一些开支，并且，这些开支已经得到了企业界的普遍认可。
>
> 必要开支　指的是一些适当、有益的开支。

寻找自己可以获得的潜在企业纳税减免，关键是寻找符合上述定义的所有开支。下面就是其中的一些例子：

家庭办公室　只要安排的一间房子纯粹出于商业目的，而且定期进行一些商业活动，就可以获得纳税减免。减免的数额等于商业用房与整座房屋之比，乘以整座房屋的总费用。

电脑或软件　在商业活动中所用的电脑及其软件费用，都可以享受纳税扣除。如果在刚刚开始创业的时候，你将个人电脑"贡献"出来供企业使用，那么，千万记着要让企业到时候给自己"偿还"这笔费用。

旅行　与自己企业相关的旅行费用可以获得扣除，其中包括拜访自己的指导老师、潜在客户、顾问以及参加各种培训课程的费用。

孩子　让你的孩子来为自己创办的企业工作，然后付给他们适当的报酬，这样就不必定期给他们零花钱。也许最好的情形是，孩子开始申办退休金计划（比如罗斯个人退休金计划），投入该计划的资金就可以免税增值。当然，为了确保获得合法纳税减免，需要注意以下三点：

1. 制定一份书面工作说明；
2. 做好孩子们的工作记录；
3. 付给他们合理的报酬。

如果办好了自己的企业，就可以开始投资房地产

等到自己创办的企业有了富余的现金流，就可以开始将这些收益逐步投资到房地产上面。现在，这样做的好处显而易见。通过房地产投资，就可以为自己带来被动的现金流。这种现金流每月都会流进你的腰包，却可以通过房屋折旧这种"虚拟开支"抵消。这也就意味着你只需缴纳少量个人所得税，甚至无须缴纳个人所得税。最佳的结果当然是，你的个人财富通过自己投资的房地产和企业不断增长。

所有这些，其实都只是因为你创办了个人企业，普通雇员根本不可能得到这些纳税优惠。总而言之，如果你想改变自己的纳税额，就首先应该改变自己的赚钱方式。好好努力吧！

黛安·肯尼迪

富爸爸商学院语录

"如果你想成为富人，就首先需要去做一名企业所有者和投资者。"

"我本人并没有通过创办直销企业致富，为什么还要鼓励大家投身直销业呢？其实，正是因为我没有通过创办直销企业赚钱，所以我对于该行业才有一个相对客观公正的认识。本书介绍了我对直销企业真正价值的认识，直销企业的价值绝不只是能够赚很多钱。可以说，直到此时，我终于找到了一个充满爱心、关怀大众的新型企业模式。"

"如果一切都可以重来一遍，我肯定不会创建传统的企业，我肯定会致力于建立一家直销企业。"

"直销是一种全新的、与过去许多模式截然不同的致富途径。"

"世界上最富有的人总是在不断地建立网络，而其他人则被教育着去找工作。"

"直销向全世界数以亿计的人们，提供了一个把握个人生活和财务未来的良机。"

"一家直销企业是由你与那些帮助你变得更加富有的人共同组成的。"

"相对于过去以获利为目的的各类商业模式，直销业显得更为公正。"

"直销系统，也就是我常常所说的'个人特许经营'或'看不见的大商业网络'，它是一种非常民主的创造财富的方式。只要有意愿、决心和毅力，任何人都可以参与到这个系统中来。"

"很多直销公司向数百万人提供了富爸爸当年给予我的教育，让人们有机会建立自己的网络，而不是为了某个网络终生辛劳。"

"直销业的发展速度远远超过了特许经营业或其他传统行业。"

"无论全职还是业余，直销企业都是为那些想进入 B 象限的人士而准备的。"

"简单说来，进入成本较低，又有良好培训计划的直销企业，实在是一个很好的创意。直销业兴起的时代已经来临。"

"直销企业的意义，显然并不只限于能够赚钱。"

"直销企业是乐于助人者的绝佳选择。"

"我之所以向大家郑重推荐直销企业，是因为它拥有改变人生的教育培训体系。"

"很多直销公司都是人们真正需要的商学院，而不是招收聪明学生，然后将他们培养成为富人雇员的传统意义上的商学院。"

"许多直销公司是真正意义上的商学院，它们向大家讲授一些传统商学院尚未发现的价值观，比如，致富的最佳途径就是让自己和别人成为企业所有者，而不是成为那些为富人工作的忠诚、勤勉的雇员。"

"直销企业是那些渴望学习企业家的实际本领、而不是学习公司高薪中层经理技巧的人们所需要的商学院。"

"直销企业本身建立在领导者与普通人共同走向富裕的基础上，而传统企业、政府企业的出发点则是让一少部分人富裕起来，大量雇员则满足于得到一笔稳定的薪水。"

"在直销企业中，我发现它们的教育体系，足以'引导出'自己身上富人的一面。"

"在直销领域，人们鼓励你通过犯错、改正而学习，进而在智力和情感方面变得更加出色。"

"如果你乐意教育、引导别人在不必击败竞争对手的前提下寻找他们的致富之路，那么，直销企业对你来说也许就再合适不过了。"

"如果你害怕犯错、害怕失败，我认为拥有良好教育培训计划的直销企业就一定会给你带来莫大好处。"

"直销的好处在于，它让人们有机会直面内心畏惧、克服内心畏惧，让自己内心中赢家的一面居于主导地位。"

"直销业鼓励人们胸怀伟大梦想，并努力实现这些伟大梦想。"

"直销业可以为你提供一大群志趣相投、拥有B象限核心价值观的朋友，帮助你更快转型到B象限。"

"一旦创建了个人企业，并拥有了充裕的现金流，就可以开始投资其他资产。"

作者介绍

罗伯特·T·清崎

罗伯特·T·清崎是第四代日裔美国人，他在夏威夷出生，并在那里度过了自己的少年时代。高中毕业后，他在纽约接受了大学教育，接着加入美国海军陆战队，作为一名军官和武装直升机飞行员参加了越战。战后，罗伯特在施乐公司从事销售工作。1977年，他创办了一家公司，首次向市场推出尼龙"维可牢"褡裢制作的"冲浪者"钱包。1982年，他创办了一个国际教育公司，向遍及全球的数万学员讲授商业和投资课程。

1994年，47岁的罗伯特出让了自己的公司，实现了财务自由，提早退休。

在短短的几年退休生活中，罗伯特与合作者、商业伙伴莎伦·L·莱希特女士一起，陆续撰写了《富爸爸，穷爸爸》、《富爸爸财务自由之路》、《富爸爸投资指南》、《富爸爸 富孩子，聪明孩子》、《富爸爸 年轻退休》、《富爸爸大预言》

等，所有这些图书都先后登上了《华尔街日报》、《商业周刊》、《纽约时报》、《今日美国》、亚马逊网站、E-Trade 网站等主流媒体的畅销书排行榜。

就在成为畅销书作家之前，罗伯特制作出了一种教育纸板游戏——"现金流游戏"，向人们传授富爸爸多年来教给他的理财方法。正是借助这些理财方法，罗伯特才能在 47 岁时提早退休。

2001 年，"富爸爸"顾问系列丛书第一本正式出版。参与这项工作的专家们一致赞同罗伯特的观点："商业和投资都属于团队活动。"用罗伯特的话来说，那就是："大家上学，最终为了金钱而努力工作，而我撰写这些书、制作这些游戏的目的，就是想教育大家让金钱来为自己努力工作。这样，大家就可以充分享受我们这个美好世界的乐趣！"

（"富爸爸组织"是罗伯特·T·清崎与夫人金·清崎、友人莎伦·L·莱希特女士共同发起成立的。从 1996 年起，他们开始向世界各地的人们普及财务知识，推广富爸爸经验。）

金·清崎

初次进入商界，金·清崎供职于檀香山市一家著名广告公司。25 岁那年，她创办了一份专门服务于商业圈的杂志。很快，她就表现出卓越的企业家精神。两年后，她创办了自己第一个企业——一家销售遍布全美的服装公司。

不久，金加入了罗伯特·T·清崎创办的国际教育公司。该公司后来在 7 个国家设立了 11 个办事处，向数万名学员传授商业课程。

1989 年，金开始了自己的房地产投资生涯，她首先在俄勒冈州波特兰市购买了一套有两间小卧室、一个卫生间的出租房。如今，金的房地产投资公司买卖、管理着价值数百万美元的房地产。金积极提倡、鼓励广大女性进入投资领域，在她看来，"投资最终可以为女性带来自由，让她们从此不再依赖任何人"。

金与罗伯特于 1984 年结婚，1994 年，他们两人顺利"退休"，转而推广自己的商业课程。1997 年，金与罗伯特、莎伦·L·莱希特女士共同创办公司，通过图书、游戏以及其他教育手段，推广富爸爸理财知识，得到了国际认可和称赞。

莎伦·L·莱希特

作为"富爸爸"系列丛书的作者之一和"富爸爸组织"的 CEO，莎伦·L·莱希特将自己的专业知识献给了教育事业。她以优异的成绩毕业于佛罗里达州立大学，获得了会计学学位。随后，她进入当时全美八大会计事务所之一的永道会计事务所（Coopers & Lybrand）。莎伦曾经担任过电脑、保险和出版行业的很多管理工作，也是一位注册会计师。

莎伦和丈夫迈克尔·莱希特已经结婚 22 年，他们两人有三个孩子：菲利普、谢利、威廉。随着孩子的成长，她在孩子教育方面投入了很大精力，成为抨击现行数学、电脑、阅读和写作教育的急先锋。

1989 年，她与一位电子有声读物的发明者合作，帮助他将电子书行业开拓成为一个高达数百万美元的国际市场。现在，她仍然倡导开发新技术，运用富有创新精神、极具挑战性和充满乐趣的方法教育孩子。

"我们现行的教育体制已经完全不能适应当今的全球变革和技术变革。" 莎伦说，"我们必须向年轻人传授学术上的技能和理财技巧，这不只是要让他们勉强维持生存，更是要让他们过上富足美好的生活。"

作为热心的慈善家，莎伦既是一位志愿者，也是一位捐助者。她负责运作"财商教育基金会"，积极倡导教育，倡导提升人们的财商。2002 年 5 月，莎伦当选美国儿童协会亚利桑那州分会会长。

莎伦·L·莱希特的朋友、商业伙伴罗伯特·T·清崎说："莎伦是我曾经遇到过的几位很有天赋的企业家之一，随着我们俩合作的加深，我对她的敬仰与日俱增！"

黛安·肯尼迪

注册会计师黛安·肯尼迪是《房地产投资秘诀》的作者之一，也是"富爸爸"顾问系列丛书中的畅销书《富人的秘诀——富人怎样多赚钱少纳税》的作者。此外，她还是黛安·肯尼迪协会（DKA）、黛安·肯尼迪顾问公司以  及很多房地产投资公司的创办者和合伙人。通过在上述公司的实践，20 多年来，黛安·肯尼迪在向人们传授合法的避税技巧上面享有盛名。在会计专业领域，黛安·肯尼迪与别人合著了两本有关会计与电脑的高校教材、一本有关公司税务方面的图书，受到了广泛尊敬。她还是 CNN、CNNfn、CNBC 以及很多美国地方电台、电视台追逐的嘉宾。作为受邀的"富爸爸"顾问之一，黛安·肯尼迪与罗伯特·清崎的合作也许最受人们关注。黛安·肯尼迪懂得富人减少自己纳税额的秘密，运用一些简单通俗的方法，向人们揭示了这些秘密。

布莱尔·辛格

布莱尔·辛格是一位资深作家、演说家，也是当今商业领域中个人和组织机构行为变迁的积极推动者。他还是布莱尔·辛格加速培训公司的创立者，并担任公司总裁，该公司是全球公认的一家国际化培训公司。此外，布莱尔·辛格也是销售狗——SalesDogs® 的创始  人，它提供了一种全新的成功销售方法，帮助无数人通过销售大大增加了个人收入。

布莱尔过去负责伯罗斯公司的销售工作，该公司是现在著名的优利系统公司的前身，他还曾经做过软件系统、自动化结算系统、货物空运与后勤支持系统的销售工作，**既做过企业雇员**，也做过企业主。1987 年以来，他与全球数以万计的个人和组织机构合作（其中包括财富 500 强公司），也与独立的销售代理和直销商合作，帮助他们在销售、生产效率和现金流等方面取得了非凡表现。

布莱尔·辛格是罗伯特·T·清崎的一位老朋友，也是富爸爸顾问之一，负责向大家传授商业领域所需要的首要技巧——推销技巧。

（布莱尔·辛格所著的《富爸爸 销售狗》中文版已经出版，这也是"富爸爸"顾问系列丛书在中国内地推出的第一本。）

罗伯特·T·清崎的财商教育

三种收入

在会计学领域，存在三种不同的收入：工资收入、被动收入和组合收入。当穷爸爸对我说："好好读书，争取拿到好成绩，然后寻找一份安稳的工作。"其实也就是鼓励我为工资收入而奔忙；当富爸爸对我说："富人不会为金钱工作，而是让金钱为自己工作。"他所说的就是要我争取被动收入和组合收入。在多数情况下，被动收入来自于房地产投资，组合收入来自于有价证券，比如股票、债券和共同基金等。

富爸爸曾经说过："致富的关键，就是拥有尽快将工资收入转化为被动收入和组合收入的能力。"他接着指出："工资收入税率最高，被动收入税率最低，这也是你要让金钱为自己工作的另外一个原因。政府对于你努力工作得到的收入，征税远高于你让金钱为你努力工作而得到的收入。"

实现财务自由的关键

实现财务自由、获得巨额财富的关键，是拥有将个人工资收入转化为被动收入或组合收入的技巧。富爸爸曾经花了大量时间，向儿子迈克和我传授这种技巧。正是由于具备了这种技巧，我与妻子金才得以实现财务自由，不用再出去工作。当然，我们现在仍然做些事情，但那主要出于我们的喜好。今天，我们拥有一家能够为自己带来被动收入的房地产投资公司，同时持有一些股票，以便获得组合收入。

投资致富需要各方面的个人技巧，这些技巧是取得财务成功的基础，也是低风险、高回报的基础。也就是说，要懂得怎样获得能够带来其他资产的资产。问题在于，获得所需要的基础教育和经验常常需要花费很多时间，代价昂贵，令人恐惧，尤其当你使用自有资金的时候。因而，我制作了已经获得专利的教育纸板游戏——"现金流游戏"，供你作财商基础教育之用。

"富爸爸"系列丛书简介

《富爸爸，穷爸爸》"富爸爸"系列丛书的第一本。这是一个真实的故事，作者罗伯特·清崎的亲生父亲和朋友的父亲对金钱的看法截然不同，这使他对认识金钱产生了兴趣，最终他接受了朋友的父亲的建议，也就是书中所说的富爸爸的观念，即不要做金钱的奴隶，要让金钱为我们工作，并由此成为一名极富传奇色彩的成功的投资家。

ISBN 7 – 5053 – 8299 – 3

定价：16.00 元

《富爸爸财务自由之路》"富爸爸"系列丛书之二。本书将所有的人分为四类：1. 雇员；2. 自由职业者；3. 公司所有者；4. 投资人。本书分析了这四类人各自的价值，并为人们指明了通往财务自由的道路。

ISBN 7 – 5053 – 8297 – 7

定价：22.00 元

《富爸爸投资指南》"富爸爸"系列丛书之三。本书结合作者的创业及投资经历，更为详尽地阐述了富爸爸的财务思想和投资理念，同时为所有希望获得财务自由的人们提供了许多颇具参考价值的投资创业建议。

ISBN 7 – 5053 – 8296 – 9

定价：35.00 元

"富爸爸"系列丛书简介

《富爸爸 富孩子，聪明孩子》"富爸爸"系列丛书之四。教育心理学家认为，5~14岁的小孩对自己的人生和未来已经做出了许多重要决定，14岁以后，家长和老师将很难再让他们去接受新的观念。因此，最好的财务教育时机就在孩子们最渴望求知的时候。如果他们小的时候懂得了一些财务知识，那么当他们长大之后就会自然地形成好的财务和投资习惯。

ISBN 7 – 5053 – 8295 – 0

定价：22.00元

《富爸爸 年轻退休》"富爸爸"系列丛书之五。希望年轻的时候就可以退休，并且快乐地享受人生是很多人的梦想。其实这并非遥不可及。本书将告诉你，不必终生为工作所累，你可以在年轻的时候退休并终生拥有财富。

ISBN 7 – 5053 – 8298 – 5

定价：28.00元

《富爸爸大预言》"富爸爸"系列丛书之六。富爸爸早在20多年前就预见了今天的全球经济疲软和即将到来的股市灾难。本书对此进行了分析，并教你如何打造自己的财务方舟，使你不仅能够经受住这些风暴的考验，还可以从中获取更大的利益。

ISBN 7 – 5053 – 8544 – 5

定价：22.00元

"富爸爸"顾问系列丛书简介

《富爸爸 销售狗》"富爸爸"顾问系列丛书之一。本书用拟人的手法，把销售人员比喻成五种不同类型的狗，揭示关于销售人员的五种简明易懂又至关重要的创收技能。教会他们如何发展源源不断的优质客户，以及如何从事终身销售。帮助销售人员识别自己的"品种"，与其他品种的销售狗取长补短，并充分发挥自己的强项。也为企业管理人员培养、指导"蓝带销售狗"——优秀的销售人员提供指导。

ISBN7 – 121 – 00003 – 2

定价：23.00 元

"富爸爸"系列财商教育游戏简介

如果一个人没有学过投资、金融、会计、公司法、税务等方面的词汇，那么他作为投资者去运作时就会感到很难适应。

《现金流》教育游戏的一个目的，就是想让门外汉熟悉投资词汇。在我们所设计的游戏中，玩家很快就会熟悉有关会计、商业、投资方面的词汇及其后隐藏的各种关系。通过反复玩这个游戏，玩家们会懂得通常被错误使用的词语，如"资产"和"负债"的真正定义。

现金流游戏（成人版）是罗伯特·T·清崎发明的一套寓教于乐的教育游戏，人们可以从充满乐趣的游戏中学习到有关会计、财务、投资等方面的知识，从而启发你的财商，并从中体味到生活的酸甜苦辣。该游戏可供 2~6 人同时参与，适合 12 岁以上人士。

定价：298.00 元

现金流游戏（儿童版）专为 6~12 岁儿童设计的教育游戏，儿童可以从快乐的游戏中学习简单的会计知识，了解"收入"、"支出"、"资产"和"负债"的概念及其关系，从小培养孩子的财务智商，帮助他们及早地作好进入现实世界、迎接人生挑战的准备。

定价：268.00 元

欢迎访问"富爸爸"网站：

"富爸爸"英文网站：www. richdad. com

"富爸爸"中文网站：www. fubaba. com

- 有关"富爸爸"系列产品的介绍
- 解答读者及游戏玩家关于图书及游戏的常见问题
- 有关各种与"富爸爸"相关的活动的最新信息
- 读者论坛

欲购"富爸爸"产品，请与我们联系：

英文版

CASHFLOW™ Technologies, Inc.

4330 n. Civic Center Plaza, Suite 101

Scottsdale, Arizona 85251

USA

(800)308 – 3585 or (480)998 – 6971

Fax: (480)348 – 1349

E-mail: info@ richdad. com

中文版

电话：(010)82605578/79   82605550/1/2/3

传真：(010)82605353

E-mail: bjreader@ 163bj. com

http: // www. readers. com. cn

通讯地址：北京海淀区中关村西区丹棱街18号创富大厦10层

北京读书人文化艺术有限公司

邮政编码：100080

亲爱的读者，感谢你阅读本书。读完这本《富爸爸商学院》（"富爸爸"系列丛书之七），你一定对金钱和理财有了不同以往的感触吧？你是否希望和更多的人一起交流你的理财心得并分享你的成功喜悦？你是否希望能够得到理财专家的指导，倾听你的财务困惑，解答你的理财问题？请你参与"我与富爸爸的故事"征文活动，将你亲身经历的理财故事和成功经验告诉我们，我们将选择最精彩的故事与大家一起分享。

1. 你认为"富爸爸"系列、"富爸爸"顾问系列丛书哪一本最好？

    A《富爸爸,穷爸爸》   B《富爸爸财务自由之路》

    C《富爸爸投资指南》   D《富爸爸 富孩子,聪明孩子》

    E《富爸爸 年轻退休》F《富爸爸大预言》

    G《富爸爸商学院》   H《富爸爸 销售狗》

2. 你认为"富爸爸"的观点和方法哪些对你有所启发？

    _____

    _____

    _____

3. 你习惯怎样打理自己的个人财富？

    A 存银行   B 做股票   C 投资房产   D 其他_____

4. 在你所生活的城市，你认为哪一种投资工具最方便和最有效？为什么？

    _____

5. 你期望得到(或者说喜欢)什么样的理财策略和技巧培训？

    _____

富爸爸商学院 读者调查表

6. 你在参加培训课程方面有什么限制(比如说时间、费用……)
   吗?
   _____

7. 你最渴望提升的是哪一方面的理财技能? 为什么?
   _____

8. 你有过创业经历吗? 如果有的话, 你的创业经验、心得和
   体会如何呢?
   _____

9. 你有过投资经历吗? 如果有的话, 你的投资经验、心得和
   体会如何呢?
   _____

你的简况

姓名_____性别_____出生年月_____

文化程度_____职业_____

工作单位_____

通讯地址_____

邮编_____ 电话_____

E-mail_____

欢迎与我们联系

电话: (010)82605578/79   82605550/1/2/3

传真: (010)82605353

E-mail: bjreader@163bj.com   sjb@phei.com.cn

http://www.readers.com.cn   www.phei.com.cn

通讯地址: 北京海淀区中关村西区丹棱街18号创富大厦10层

北京读书人文化艺术有限公司

邮政编码: 100080

电子工业出版社·北京读书人文化艺术有限公司